12/2008
LAD

EL ORO
DE LOS SUEÑOS X9

JOSÉ MARÍA MERINO

Colección
LEER EN ESPAÑOL

español

SANTILLANA
UNIVERSIDAD
DE SALAMANCA

La adaptación de la obra *El oro de los sueños*,
de **José María Merino**, para el Nivel 4 de la colección
LEER EN ESPAÑOL, es una obra colectiva, concebida
y diseñada por el Departamento de Idiomas
de la Editorial Santillana, S.A.

Adaptación: **Yolanda Pinto Gómez**

Ilustración de la portada: **Juan Carlos Carmona**

Ilustraciones interiores: **Domingo Benito**

Coordinación editorial: **Silvia Courtier**

Dirección editorial: **Pilar Peña**

© de la obra original, 1986 by José María Merino
© de esta edición,
   1993 by Universidad de Salamanca
        Grupo Santillana de Ediciones, S. A.
Torrelaguna, 60. 28043 Madrid
PRINTED IN SPAIN
Impreso en España por UNIGRAF
Avda. Cámara de la Industria,38
Móstoles, Madrid
ISBN: 84-294-3489-5
Depósito legal: M- 37361-1999

José María Merino nació en La Coruña en 1941, pero ha vivido durante muchos años en León. Aunque empezó escribiendo poesía, es hoy un novelista de gran personalidad de nuestra literatura: en 1976 recibió el premio Novelas y Cuentos por su Novela de Andrés Choz *y en 1985 ganó el Premio de la Crítica con* La orilla oscura.

Fantasía y realidad se unen en las historias de Merino para hablarnos de un mundo donde las cosas no siempre son lo que parecen y donde cada uno de nosotros intenta elegir su verdad. Es éste un mundo perdido en el pasado y del que ya no tenemos memoria pero que, sin embargo, necesitamos para comprender lo que somos hoy.

Estos elementos no podían faltar en El oro de los sueños *(1986), primer libro de una trilogía sobre los tiempos de la conquista española en América. No trata Merino de analizar la Historia, pero sí de comprender los dos mundos que allí chocaron: el español y el indio. No es pues casualidad que Miguel, el joven protagonista de este relato, pertenezca a las dos razas y que, a veces, se sienta dividido entre dos realidades.*

Los otros dos libros de esta trilogía son: La tierra del tiempo perdido *(1987) y* Las lágrimas del Sol *(1989).*

3

NOTA

La forma antigua de tratamiento respetuoso en español era distinta a la actual y se caracterizaba sobre todo por el uso de las formas de segunda persona del plural para referirse a una sola persona:

1. En lugar de **usted** se usaba **vos:**
   Ejemplo:
   > *Y a **vos**, fraile Bavón.*
   > (en vez de *Y a **usted**, fraile Bavón.*).

2. En lugar de los complementos **la, lo** y **le** se usaba **os:**
   Ejemplo:
   > *Dios **os** guarde, doña Teresa.*
   > (en vez de *Dios **la** guarde, doña Teresa.*).

3. En lugar del verbo en tercera persona del singular (que es la forma que corresponde a **usted**), se usaba el verbo en segunda persona del plural:
   Ejemplo:
   > *Cuando **os burláis** de mí,...*
   > (en vez de *Cuando **se burla** de mí,...*).

4. En lugar de los posesivos correspondientes a la tercera persona del singular (propios de la forma **usted**), se usaban los correspondientes a la segunda persona del plural:
   Ejemplo:
   > ***Vigilad vuestras** palabras, padre Bavón.*
   > (en vez de ***Vigile sus** palabras, padre Bavón.*).

LIBRO PRIMERO

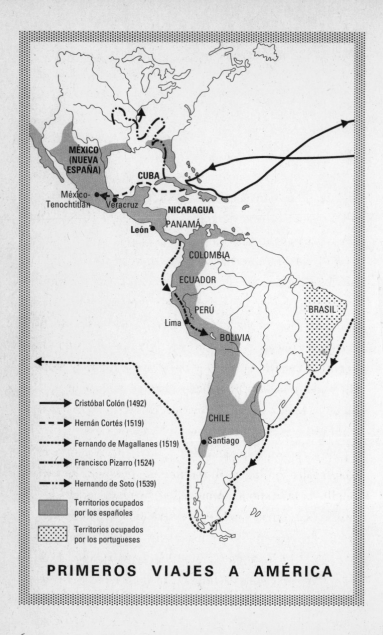

MÉXICO
(NUEVA
ESPAÑA)

CUBA

México-
Tenochtitlán   Veracruz

NICARAGUA

León   PANAMÁ

COLOMBIA

ECUADOR

PERÚ

Lima

BOLIVIA

BRASIL

CHILE

Santiago

→ Cristóbal Colón (1492)

--→ Hernán Cortés (1519)

····→ Fernando de Magallanes (1519)

·-·-→ Francisco Pizarro (1524)

··-··→ Hernando de Soto (1539)

Territorios ocupados
por los españoles

Territorios ocupados
por los portugueses

PRIMEROS VIAJES A AMÉRICA

I

A menudo, mientras mi maestro explica, pierdo la atención; empiezo entonces a imaginar grandes aventuras que me llevan muy lejos de aquí y me olvido del latín. Otras veces, me quedo mirando al vacío, pensando en muchas cosas y en nada al mismo tiempo. Dice mi madre que esto me viene de ella, pues[1] es algo frecuente entre los indios.

Así pasaba yo el tiempo aquella tarde de calor en que no tenía nada qué hacer. Aventuras maravillosas llenaban mi cabeza cuando, de repente, un ruido de caballos me sorprendió. Desperté de mis sueños y me acerqué al camino. Allí pude reconocer el caballo blanco de mi padrino[2]. No iba solo: cerca de él, encima de un caballo más oscuro, venía otra persona que, de momento, no reconocí.

Llegaron entre una nube de polvo, asustando a todos los animales del lugar. Mi padrino me pidió que llevase su caballo a la sombra. Aunque es hombre agradable, en aquella ocasión me pareció más serio que de costumbre.

El hombre que lo acompañaba era el fraile[3] Bavón. Éste había luchado en las guerras[4] de la conquista[5] de la Nueva España, pero después, cansado de esa vida, había decidido hacerse fraile.

Me acerqué a él para saludarlo.

—¿Cómo va tu latín? —me preguntó— ¿Estudias mucho o sigues quedándote dormido durante las explicaciones de tu maestro, el buen fray Bernardino?

Ya entonces, yo nunca sabía si el padre Bavón me hablaba en serio o se burlaba de mí.

Mi padre fue compañero y buen amigo de los dos. Según parece, mi padre y mi padrino habían nacido en el mismo pueblo. Empezaron desde muy jóvenes a viajar por el mundo, buscando aventuras, y durante esos años conocieron al fraile Bavón. Los tres llegaron finalmente a la isla de Cuba; allí se quedaron algún tiempo antes de seguir a Hernando Cortés[6] en su conquista de México. Lucharon hasta el final y vivieron muchas aventuras. Cuando todo terminó, los tres empezaron una vida tranquila. Sin embargo, varios años más tarde, tuvieron noticia de algo muy interesante: según parece, muy cerca de las tierras conquistadas, había una ciudad riquísima, toda de oro, que nadie había encontrado todavía. Rápidamente, los tres amigos decidieron ser los primeros en descubrirla. Pero nunca encontraron la maravillosa ciudad. Mi padre desapareció en aquella empresa[7], luchando contra los indios. Nunca más supimos de él.

Todo esto recordaba yo mientras vigilaba los caballos. Al ver a mi padrino, mi madre, que estaba sentada delante de la casa, se levantó. Él se quitó el sombrero.

–Dios os[8] guarde, doña Teresa –dijo.

–Él os guarde también, amigo mío –contestó mi madre–. Y a vos[8], fraile Bavón.

Mi madre les ofreció un refresco y llamó a la vieja Micaela para que lo sirviese. Mientras, yo me llevé los caballos detrás de la casa. Después me acerqué muy despacio a la ventana puesto que quería escuchar aquella conversación. Enseguida comprendí que hablaban de mí.

–¡Pero es sólo un niño! –decía mi madre.

–Mi buena Teresa –contestó el padre Bavón–, Miguel no es tan joven como crees; además ha llegado el momento de que el chico empiece a ser un hombre.

Mientras escuchaba aquellas palabras me daba cuenta de que mi madre seguía pensando en mí como en un niño pequeño; en realidad, yo ya tenía quince años.

–Teresa –dijo mi padrino hablando lentamente–. El padre Bavón no se equivoca. Miguel tiene la edad perfecta; él debe terminar la empresa que su padre empezó.

Se quedaron en silencio durante unos minutos. Estaban bebiendo tal vez. Poco después oí suspirar a mi madre. Luego habló con voz dulce pero segura.

–Así perdí a mi marido –contestó mi madre–; no quiero perder también a mi hijo.

–Teresa –dijo mi padrino–, nunca dejaré de sufrir por aquella desgracia, Tomás siempre fue para mí igual que un hermano. Y siento tanto cariño por Miguel como lo sentí por su padre. Por ese motivo no debes temer nada. Miguel es como un hijo para mí y haré todo lo posible para que nada malo le ocurra.

Entonces habló el fraile y sus palabras me parecieron un poco duras.

—Teresa —dijo—, el chico tiene que defender el buen nombre de su padre y de su familia. Esto supondrá muchos riesgos y peligros pero debe hacerlo. Además, con la ayuda de Dios, Miguel se hará muy rico en esta empresa.

Antes de responder, mi madre volvió a suspirar.

—De acuerdo —dijo al fin—. Voy a llamarlo.

—¡Miguel!

Esperé unos minutos. Luego me acerqué a la entrada de la casa.

—Miguel, muchacho —dijo mi padrino—. El padre Bavón y yo le hemos pedido a tu madre que te deje acompañarnos a descubrir nuevas tierras. Ella ha aceptado. Después de la misa del domingo, ven a mi casa. Tendrás que traer alguna ropa, zapatos, botas, sombrero, un cuchillo. Yo te daré una espada[9] y otras cosas que necesitarás.

Me quedé mirándolo sin decir nada. Aunque yo había escuchado toda la conversación, la emoción de la sorpresa llenaba mi corazón.

II

Durante toda aquella tarde, sin embargo, no pensé mucho en el asunto. Al marcharse mi padrino y el fraile, fui al río con mis amigos. No les dije nada de mi próxima aventura y, entre el baño y los juegos, creo que hasta yo mismo me olvidé de ella.

Aquella noche todavía pude dormir sin miedo y sin preocupaciones, como lo había hecho durante toda mi vida. Pero a la mañana siguiente, en la escuela, fray Bernardino me miró en silencio durante unos minutos. Recordé entonces la conversación de la tarde anterior y, de pronto, me di cuenta de lo que significaba.

—He sabido que te vas a descubrir nuevas tierras —dijo por fin—. ¿Es eso verdad?

—Sí —respondí—. Ayer mi padrino le pidió permiso a mi madre para que me deje acompañarlo.

—Tanto tu padrino como ese fraile han perdido la razón —exclamó[10], cerrando su libro con fuerza—. Ya no es tiempo de aventuras ni de descubrimientos.

Estaba muy serio.

—Ya basta de luchas y basta de soldados. Paz[11] y trabajo es lo que necesitan ahora aquellas tierras.

Calló un momento. Luego, con voz triste, siguió.

—Es esa enfermedad del oro. Sí, por culpa del oro pierden los hombres la razón.

Me miró otra vez.

—¿Cuándo te vas? —preguntó.

—El domingo —dije.

—Rezaré[12] por ti y le pediré a Dios que te ayude en todo momento —dijo—. Ahora préstame atención: *Alexander, rex Macedonum, bellum intulit Dario, regi Persarum...*

Aquella noche tardé mucho tiempo en quedarme dormido. No me asustaba la posibilidad de vivir aventuras como las que siempre había leído en los libros, como las que había soñado. Pero sí sentía miedo de no volver: todavía no me había ido y ya echaba de menos a mi familia, mis amigos y, también, el aburrido latín de fray Bernardino.

Mi hermano, que tampoco dormía, me hablaba desde su cama. Él es el más pequeño de mis tres hermanos. Entonces tenía once años. La noticia de mi próxima aventura lo había llenado de emoción.

—¿Tendrás un caballo? —me preguntaba.

—Sí, seguramente —decía yo.

—¿Y aprenderás a usar armas?

—No lo sé. Supongo que sí.

—¿Y matarás a muchos hombres?

Entonces no supe qué decir.

—Basta de preguntas —exclamé—, calla y déjame dormir.

Él se durmió rápidamente pero yo seguí escuchando los ruidos de la noche durante largo tiempo aún.

Al día siguiente fui por última vez a la escuela. Al acabar sus explicaciones, fray Bernardino me acompañó hasta la puerta y se despidió de mí con un cariñoso abrazo. Después volvió rápidamente a los oscuros pasillos.

Mi equipaje no tenía que ser grande, pero tanto mi madre como la vieja Micaela estuvieron preparándolo todo el día. Mientras las estaba viendo, otra vez soñaba ser don Amadís[13], que preparaba sus armas antes de alguna aventura contra peligrosos enemigos.

El sábado estuve bastante triste. Anduve por todo el pueblo mirando sus viejas casas y sus calles, fijándome en pequeños detalles. Me parecía que lo veía todo por primera vez. El pueblo era ya como un recuerdo de mi vida pasada.

Ese mismo día me despedí del abuelo. No habló demasiado. Pensé que la idea de aquella empresa no le gustaba mucho pues apenas dijo algunas palabras.

Al llegar la hora de acostarse, me quedé dormido muy pronto. Mi hermano Marcos también dormía profundamente. De repente, alguien me despertó.

—Tranquilo —dijo en voz baja—. No tengas miedo. Soy Francisquillo; me envía tu abuelo.

—¿Qué ocurre? —pregunté.

—Silencio —contestó en la vieja lengua india—. Sígueme. Tu abuelo quiere verte; tiene algo que decirte.

III

ME levanté y seguí a Francisquillo. Las estrellas brillaban en el negro cielo. Las casas del pueblo estaban oscuras y en silencio. Francisquillo me acompañó hasta la habitación de mi abuelo, de la que salía una suave luz. Al llegar a la puerta entré. Un gran número de velas[14] encendidas rodeaban un pequeño altar[15]. Y delante del altar, sentado sobre sus rodillas, vi a mi abuelo: su cuerpo no se movía pero, mientras cantaba dulcemente, sus manos iban dejando caer flores sobre el suelo. Apenas llevaba ropa y se había pintado todo el cuerpo con distintos colores.

De pronto lo comprendí todo y sentí miedo: mi abuelo estaba rindiendo culto[16] a un ídolo[17].

Los españoles nos enseñaron que sólo hay un dios. Pero los buenos frailes nos dicen que todavía quedan hombres que, en el silencio de sus corazones, rezan a antiguos dioses. Y yo acababa de descubrir que mi abuelo era uno de esos hombres. Mi miedo fue mayor al pensar que, si la Inquisición[18] lo descubría algún día, podía ocurrirle algo horrible.

Por fin, el abuelo levantó la cabeza y dijo:

—Acércate y pon tus rodillas sobre el suelo.

Le obedecí sin decir nada. Las luces de las velas bailaban desordenadamente. Después de un momento de silencio, el abuelo habló.

—Escucha, Miguel: Al salir de aquí deberás olvidar todo lo que has visto. Yo soy tu abuelo; el que se ocupa de su trabajo por las mañanas; el que te acompaña a la iglesia; el que reza a nuestra señora María para que ayude a nuestra gente. Pero hay más: yo también soy el que era cuando los españoles llegaron aquí. Y así debo vivir, llevando en mi corazón dos mitades: una nació en el tiempo viejo; la otra ha nacido en éste.

Yo lo escuchaba mientras seguía observando el altar. El dios parecía de oro y su cara era la de un anciano. Tenía la lengua fuera de la boca y dos grandes pendientes redondos colgaban de sus orejas.

—Tú también tienes dos mitades dentro de tu corazón. Eres de la familia de los hijos del sol pero también de la nuestra, que viene del maíz[19]. Nunca lo olvides.

El abuelo buscó entre sus ropas y sacó algo. Me lo dio y entonces vi que era un pequeño pájaro de oro.

—Llévalo siempre contigo. Pero escóndelo para que nadie lo vea. Ahora vete a dormir.

Me acerqué y le di un beso. Luego salí de la habitación. Francisquillo también se despidió de mí.

Al llegar a casa me acosté. Me sentía curiosamente tranquilo y, sin darme cuenta, me quedé dormido.

Todas las calles llegaban hasta el puerto. Y allí fue donde, por primera vez, pude ver el mar y los barcos.

IV

AL día siguiente nos marchamos. Mientras el pueblo quedaba atrás, yo había olvidado ya los besos y abrazos de mi madre y de mis hermanos. Mi gran aventura estaba a punto de comenzar.

Llegamos a la ciudad a las doce de la mañana. Yo nunca había salido del pueblo y al verla me quedé sin palabras: tenía más de setenta casas y tres enormes iglesias de piedra. A pesar del calor, la gente iba y venía: los hombres con sus sombreros y sus armas; las mujeres con elegantes vestidos. Había españoles, pero también italianos, alemanes y portugueses.

Todas las calles llegaban hasta el puerto. Y allí fue donde, por primera vez, pude ver el mar y los barcos, tan grandes éstos que parecían pequeñas islas o montañas. Entre ellos había uno bastante más grande: era la capitana[20] de nuestra empresa. Al lado de ésta había dos carabelas[21] casi iguales y un bergantín[22] más pequeño. Aquellos cuatro barcos iban a llevarnos a nuestro desconocido destino.

Mientras mi padrino y el fraile arreglaban nuestros asuntos, yo caminé por el puerto y por las calles de la ciudad, observando sus comercios, talleres y mesones. Después bajé hasta la orilla del mar y me senté a la sombra de unos árboles no demasiado altos. La arena era blanca y suave. El agua, muy azul, venía a mojar la orilla dejando detrás de sí un rastro fresco. Fue un momento maravilloso.

De repente un ruido extraño me sorprendió; un muchacho bajaba rápidamente hacia el lugar donde yo me encontraba. Al acercarse comprobé que era, más o menos, de mi misma edad. No tenía zapatos y su ropa estaba muy vieja y muy sucia. Agarraba con fuerza algo que no pude ver. El muchacho miró a su alrededor y, sin pensarlo dos veces, se escondió entre los árboles.

Casi al mismo tiempo escuché unas voces. Dos hombres corrían hacia la playa. Uno de ellos me preguntó:

—¿No habrás visto pasar a un chico corriendo por aquí?

Yo no contesté nada, aunque desde el lugar donde me encontraba podía ver al muchacho.

—¡Nos ha robado un pollo y se ha escapado! —exclamó el otro.

—Nadie ha pasado por aquí —dije por fin.

Los dos hombres se quedaron conmigo unos momentos. Luego se fueron por donde habían venido, sin dejar de protestar.

Esperé un rato antes de ir a buscar al muchacho.

—Sal sin miedo. Esos dos hombres ya se han ido.

Tardó un poco, pero al final salió con un enorme pollo entre los brazos.

—¡Gracias por tu ayuda! —exclamó.

—No me des las gracias. Quizás me haya equivocado al ayudarte. Dime, ¿has robado ese pollo?

—Sí —dijo—. Tenía hambre.

Su voz, todavía de niño, era tan tímida que sentí vergüenza de mí mismo.

—¿Puedo comérmelo? —preguntó.

—Claro —dije.

El muchacho se sentó sobre la arena y empezó a comer rápidamente. Al poco rato solamente quedaban los huesos. Cuando acabó, se acercó a la orilla del mar y se lavó, con cuidado, la cara y las manos.

—¿No te dan nunca de comer en el barco? —le pregunté.

—Ya no tengo barco.

—¿Vienes de España?

—Sí —respondió—, de allí vengo.

—¿No tienes familia?

Estuvo un rato en silencio, como recordando algo. Después explicó despacio:

—Tengo madre y hermanos; mi padre murió hace años.

—El mío también murió —dije yo, con un sentimiento de simpatía.

—En eso sois como yo, entonces —comentó.

—No me des esos tratamientos —exclamé—. Debemos de tener la misma edad. Yo cumplí los quince el día cinco de marzo.

—Yo los cumplí la misma noche de San Silvestre, en Sevilla, jugando a las cartas con alegres compañeros.

—¿A las cartas?

El muchacho se extrañó de mi sorpresa.

—¿Tú no juegas a las cartas?

—No —dije.

Quedó en silencio unos instantes. Luego, habló con la mirada puesta en el mar.

—Aquella noche gané bastante dinero, pero sólo pude quedarme con una parte del mismo. Mis compañeros eran mayores que yo y mi buena suerte los puso furiosos. Así que dijeron que yo no jugaba limpiamente. Y me quitaron casi todo el dinero. Pero yo no había engañado a nadie, sino que, ciertamente, había jugado mejor que ellos. Pues desde muy niño aprendí todos los juegos de cartas, y mucho practiqué.

Miré al cielo. El sol se había ocultado mientras hablábamos.

—Debo volver a la ciudad —dije.

—¿Puedo acompañarte? —me preguntó.

—Sí, por supuesto —contesté.

—Me llamo Juan Gutiérrez —dijo.

—Mi nombre es Miguel Villacé Yólotl.

—¿Yólotl?

—Mi padre era español, pero mi madre es india —le expliqué mientras caminábamos hacia el puerto.

20

V

EL fraile y mi padrino no habían vuelto aún cuando llegamos al puerto. Mientras los esperábamos, Juan me contó su historia.

Su padre tenía una venta[23] en el Camino de Santiago[24]. El negocio era bueno, pero un día unos ladrones escondieron allí todo lo que habían robado. Cuando el robo se descubrió enviaron a galeras[25], no sólo a los ladrones, sino también al padre de Juan. El pobre hombre no aguantó el duro trabajo y murió al año siguiente.

Después de algún tiempo, su hermana Lucina se casó. Su marido pasó a ocuparse de la venta. Pero era un hombre duro y sólo le interesaba el dinero: para ahorrar cada vez más, empezó a vigilar la comida hasta que el cocido dejó de ser cocido y se convirtió en un plato de agua.

–Un día en que, por hambre, yo había cogido un huevo sin permiso para comérmelo, aquel mal hombre me descubrió. Se enfadó mucho y empezó a darme golpes. Cuando pude reaccionar le dije: «Estaos quieto. En mi casa estoy y de lo mío como». Pero aquello hizo que se enfadara aún más. Se quitó el cinturón con la intención de seguir dándome golpes; entonces, para defenderme, agarré con fuerza una herramienta de madera que había al lado de la puerta y se la tiré a la cabeza. Me miró un momento y luego cayó al suelo. Al acercarme me di cuenta de que estaba muerto. Yo lo había matado. Tuve miedo. Decidí que lo mejor era escapar, irme de allí para siempre. Y eso fue lo que hice.

Pasaron así dos años difíciles. Camino del sur, Juan se fue encontrando con otras gentes que estaban como él: sin casa, sin dinero, sin comida, sin amigos; para vivir, había que robar y era mejor no pensar en el mañana. Pero Juan se cansó de aquella vida peligrosa y decidió probar suerte en Sevilla. Él había oído hablar de Sevilla como de una ciudad grande y hermosa, puerto donde nacían los más maravillosos sueños de aventuras. Sin embargo, la ciudad que encontró Juan era muy distinta: allí todo lo que había era mala vida, un mundo de ladrones y, además, muy organizado. Así que Juan decidió hacerse conquistador[5].

—Pensé poder ganarme el dinero suficiente con las cartas, pero la suerte no me acompañó. Por fin, decidí conseguir el dinero de cualquier manera y se lo quité a una rica señora que por allí viajaba. Pero, por desgracia, aquella mujer era quien me había engañado a mí: no era verdadera señora sino ladrona también. Así que todos sus amigos, toda la mala gente de la ciudad, me empezaron a buscar. Los ciegos me veían, los que sólo tenían una pierna corrían detrás de mí. Recibí mil golpes, pero conseguí escapar. Y supe que no podía quedarme en la ciudad. Así, una noche muy oscura, pude subir a un barco y esconderme en él.

El barco partió para la Nueva España pocos días después. Juan siguió escondido al principio del viaje, pero pronto le faltó la comida y tuvo que presentarse al capitán[20].

—Era un hombre duro: me obligó a trabajar durante todo el viaje y apenas me daba comida. Así pues, cuando llegamos a este puerto me escapé.

—¿Y qué vas a hacer ahora?

—No lo sé.

Yo lo miraba con pena, sorprendido de que aquella cara tan suave y aquellas pequeñas manos ocultasen tantas desgracias.

—¿Quieres venir con nosotros?

—¿Podría ir?

—Se lo preguntaré a mi padrino. Espérame aquí.

Cuando llegaron el fraile y mi padrino, les conté toda la historia.

—Dile a ese muchacho que venga —dijo mi padrino.

Fui a buscar a Juan. Al llegar, mi padrino lo miró a los ojos y le empezó a preguntar muchas cosas sobre el mar y sobre los barcos. Juan contestó a todas sus preguntas correctamente.

—¿Y música? —preguntó por último mi padrino—, ¿sabes un poco de música?

—Alguna canción puedo acompañar con la guitarra, señor —contestó Juan, que cogió la guitarra que le daba el fraile y empezó a cantar.

> *¿Dónde estás, señora mía*
> *que no te duele mi mal?*
> *O no lo sabes, señora,*
> *o eres falsa y desleal.*

Tenía una voz muy hermosa; una voz que parecía como de otra persona, diferente de la que teníamos delante, con aquel pelo largo y sin peinar, con aquellas sucias manos. Todos se habían callado y lo escuchaban con atención. Cuando terminó, observé que mi padrino tenía los ojos húmedos.

—Gracias, muchacho —dijo—, hacía años que no oía cantar de tan bella manera. Mi madre solía cantar también ese romance[26]. ¿Conoces alguno más?

Cantó todavía durante mucho tiempo y siempre con su voz tan dulce y buen arte en el uso de la guitarra. Al fin, mi padrino le dijo que descansase.

—Deja ya la música, muchacho, no te quedes sin voz. Necesitamos compañeros como tú para animar nuestro viaje. Vendrás con nosotros a descubrir nuevas tierras y serás como uno más para todo.

Y así fue como Juan se quedó con nosotros.

VI

AL día siguiente nos levantamos muy temprano. El capitán, don Pedro de Rueda, que iba a tener el gobierno de las tierras que debíamos descubrir, quería ver a todos los hombres que iban a ayudarlo en la empresa; así que no tardamos mucho en vestirnos y marcharnos a la plaza.

Sentí una fuerte emoción al llegar allí. En un segundo se me llenó la cabeza del ruido que hacían las armas y los caballos. Por un momento, me encontré un poco perdido entre tanta gente. Además, llevaba colgada la espada que me había regalado mi padrino; y como era pequeña pero muy pesada, no me movía con comodidad, bajo el calor ya fuerte de la mañana.

Poco después, nos colocamos cada uno en nuestro sitio. Delante estábamos nosotros, los descubridores[5]: unos doscientos o más, cuarenta jinetes[27], y todos los demás que iban a pie. Con las armas, nos habíamos puesto nuestras mejores ropas: ricas camisas, medias de colores, sombreros con plumas. Entre los otros soldados, llamaban la atención los arcabuceros[28], con sus altos sombreros negros y elegantes zapatos. Bajo el sol todas las armas brillaban con mil fuegos.

El capitán llegó enseguida. A su lado iba doña Ana de Varela, su novia. Según parecía, ella y don Pedro habían recibido del Rey los mismos derechos sobre las tierras que íbamos a descubrir.

El capitán llegó enseguida. A su lado iba doña Ana de Varela, su novia. Ella había querido acompañarlo, a pesar de los peligros que, posiblemente, nos esperaban en nuestra aventura, y todos pensaban que era muy valiente. Según parecía, ella y don Pedro habían recibido del Rey los mismos derechos sobre las tierras que íbamos a descubrir. Los dos iban a caballo.

Don Pedro empezó a hacer preguntas a cada uno de los soldados, interesándose por su salud, sus familias y otras cosas. Al ver a mi padrino se acercó y le dio la mano.

—Don Santiago —dijo—. Mucho me alegro de que un soldado tan valiente venga con nosotros.

—Gracias, señor —respondió mi padrino—. Más me alegro yo de servir a tan famoso capitán.

Entonces, doña Ana, acercándose también, preguntó:

—¿Quién es este joven soldado?

Mi padrino le explicó todo sobre mí.

—¿Cómo te llamas? —me preguntó.

Pero yo me había quedado sin palabras al ver a doña Ana, tan grande era su belleza: tenía el pelo muy rubio y los ojos claros; a pesar del calor del día, parecía tan fresca como una flor. Era como un sueño.

—Miguel, hijo —dijo mi padrino—. Te están hablando.

Entonces reaccioné y dije mi nombre tímidamente.

—¿Tú también quieres seguir los pasos de don Hernando Cortés? —me preguntó.

–Sí, señora –contesté yo, perdiendo de repente la timidez–, y más aún quisiera parecerme a don Amadís.

–Bien por el joven –exclamó ella–. Y ¿cuál de todas las maravillosas obras de don Amadís repetirías con mayor gusto?

–Señora –contesté, sorprendido de haber perdido la vergüenza tan pronto–, sin duda la del *Arco de los Leales Amadores*[13], donde se ve de lo que es capaz un corazón valiente.

Don Pedro nos observaba, divertido. Mientras tanto, en la plaza había un gran silencio. Doña Ana miró entonces a mi padrino.

–Don Santiago –dijo doña Ana–, me gustaría que Miguel fuese mi paje[29] de armas.

–Señora –contestó mi padrino–, Miguel no hubiera podido encontrar mejor ocupación para empezar su vida de soldado.

El capitán habló con algunos soldados más y, cuando terminó, fuimos todos hacia el puerto. Allí nos dijeron que nuestro barco iba a ser el grande; cuando el capitán dio la orden, empezamos a subir a los barcos.

El padre Bavón caminaba cerca de mí, comentando mi nuevo trabajo como paje de armas de doña Ana.

–¿Paje de armas? –decía entre risas– ¿Y qué armas llevarán las bonitas manos de doña Ana? Ya te veo llevando sus peines y cepillos, y sus cajitas con colores para pintarse la cara. Tiempo vas a tener para soñar, como es tu costumbre.

Por primera vez en mi vida no acepté en silencio las bromas del fraile; me volví hacia él y, muy serio, le dije:

—Vigilad vuestras[8] palabras, padre Bavón. Cuando os burláis de mí, también os burláis de doña Ana.

Todos me miraron con sorpresa al oírme y el fraile Bavón no supo qué responder. Mi padrino no dijo nada pero yo vi que en sus ojos asomaba la risa.

VII

LA capitana era muy amplia. Nosotros íbamos a compartir la parte de abajo de nuestro barco. Era una enorme sala de techo muy bajo del que colgaban grandes telas, como cortinas, partiendo la sala en pequeños cuartos.

Mi padrino, el fraile, Juan y yo, buscamos un lugar seguro para dejar nuestras cosas. Durante todo el día, estuvimos ocupados subiendo todo lo necesario para el viaje: los equipajes, la comida y, al final, los caballos. Cuando llegó la noche, pudimos descansar. Algunos hombres dormían ya, otros cenaban y algunos jugaban a las cartas. Nosotros comimos pan de trigo con jamón y, después de charlar un rato, también nos fuimos a dormir.

A la mañana siguiente nos levantamos con el sol. Don Pedro quería decirnos unas últimas palabras antes de que el barco saliese del puerto.

—Señores y amigos —dijo—, aunque no conocéis aún todos los detalles de esta empresa, sabéis que tendrá sus peligros. A pesar de eso, no habéis dudado en venir conmigo y os doy las gracias por vuestra confianza. Os prometo que, con la ayuda de Dios, todos volveréis a vuestras casas siendo hombres muy ricos. Sabed, pues, que vamos a intentar descubrir el reino[30] de la gran Yupaha. Todos hemos oído hablar de este maravilloso reino y sabemos que, hasta ahora, nadie lo ha podido encontrar.

Don Pedro nos enseñó un papel que tenía en la mano. Luego siguió:

—Pero yo sé cómo encontrarlo. Un viajero que vino a morir a casa de mi padre, me dio este mapa y me describió el reino con todo detalle: las tierras son ricas en maíz y frutas. La reina es, además, gran sacerdotisa[31]. Vive en un palacio, o templo[32], todo de oro. Aquellas gentes rinden culto a un ídolo del dios de los sueños en forma de lagarto[33]. Y así como los grandes lagartos de estas tierras viven rodeados de agua, él sólo de oro puede estar rodeado. De oro son pues los suelos, las paredes, los techos. De oro las puertas, las mesas, los asientos, las camas donde descansan. También llevan oro sus vestidos. Todo el oro que utilizan para todo eso, y para fabricar sus maravillosas joyas, se encuentra a montones en unas montañas muy cerca del reino. El hecho es que en medio de tanta riqueza, sus gentes no conocen la verdadera religión y practican sus horribles cultos. También será nuestro deber llevar al reino de Yupaha la luz del único Dios. Y por eso, Dios nos dará éxito en esta empresa.

En cuanto el capitán terminó de hablar, los barcos salieron lentamente del puerto y cada hombre volvió a sus ocupaciones. Yo tenía que limpiar las armas de doña Ana.

Mientras trabajaba, observaba a la gente a mi alrededor. Me fijé sobre todo en los dos jóvenes que acompañaban a doña Ana, una muchacha y un muchacho. Los dos eran indios y pronto se dieron cuenta de que yo también tenía sangre india. Se acercaron a mí, curiosos, y empezamos a hablar; así fue cómo nos conocimos. La muchacha se llamaba Lucía y trabajaba en la casa de doña Ana. El muchacho, mayor que yo, se llamaba Ginés y, como sabía varias lenguas, iba a ayudar a don Pedro a comunicarse con los indios. Los dos venían de pueblos conquistados por los españoles.

VIII

EL viaje comenzó sin problemas. Sin embargo, ocurrieron algunas cosas extrañas; y la mitad india que llevo en mí vio en aquellos hechos el anuncio de grandes peligros y desgracias.

Ya al segundo día de viaje el viento se calmó completamente y toda nuestra flota se quedó parada en medio de las aguas. De repente, mientras esperábamos aburridos la llegada del viento, un extraño ser salió del mar, muy cerca del barco. Desapareció rápidamente, pero todos pudimos ver su horrible aspecto: parecía tener varios brazos y, en medio de una gran cabeza, brillaba un enorme y único ojo.

El fraile Bavón comentó más tarde que era un calamar de enorme tamaño; yo sentí entonces, por primera vez, que algo malo nos esperaba en aquella aventura.

Mientras el sol se ocultaba, un viento caliente se levantó por fin, moviendo suavemente los barcos. Parecía que el mar despertaba de su largo sueño.

Pero, con el viento, también aparecieron grandes nubes negras, y, tres horas más tarde, una gran tormenta caía sobre nosotros. Las olas eran cada vez mayores y el ruido de los truenos apagaba cualquier otro ruido.

La tormenta nos acompañó durante toda la noche. En lo alto del barco brillaba un fuego blanquísimo. Bajo aquella luz, el mar también parecía distinto.

La tormenta nos acompañó durante toda la noche, pero antes de que acabase oímos un fuerte grito. Juan y yo fuimos a ver lo que ocurría. Rápidamente subimos las escaleras y vimos que en lo alto del barco brillaba un fuego blanquísimo. Bajo aquella luz, el mar también parecía distinto.

—¡Es el fuego de San Telmo! —exclamó Juan—. Dicen que trae buena suerte.

Pero yo, temblando de miedo, me marché de allí.

Al día siguiente el mar volvía a estar tranquilo. Por desgracia, una de las carabelas no había aguantado la tormenta. Murieron más de treinta hombres y todos los perros, excepto uno que salvamos.

Aquel perro, que recogimos en nuestro barco, es otro de mis malos recuerdos. Un día, mientras Ginés y yo estábamos trabajando, pasó cerca de nosotros y de repente, enseñando sus dientes, se tiró sobre él. Estuvo a punto de alcanzarle la garganta. Algunos hombres le quitaron el perro de encima, salvándole la vida.

Ginés se había quedado muy pálido. Cuando se encontró más tranquilo, me contó que aquello había sido algo frecuente desde los primeros días de la conquista; al parecer, los españoles enseñaban a esos perros para que reconociesen por el olor a los indios y los matasen.

Aquello me dio mucho que pensar; hasta entonces yo había creído que la conquista había sido una guerra limpia, de hombres contra hombres. La historia de Ginés me hacía descubrir un aspecto distinto y poco agradable. Por la noche se lo comenté a mi padrino. Me explicó que, en la guerra, a veces eran necesarias esas cosas, pero no parecía muy convencido de lo que decía. Sin embargo, el fraile Bavón habló con voz mucho más segura.

—¡Todo es bueno para conseguir la paz, Miguel! —exclamó—. Ese resultado es lo que más importa. Pues sólo a través de la conquista podemos sacar a estas pobres gentes de sus horribles cultos y llevarles la palabra de Dios.

Me vinieron entonces a la mente algún comentario de fray Bernardino, y algún hecho contado por mi tío; vagos recuerdos donde asomaban oscuras dudas sobre la superioridad moral de los españoles.

—Eso no es lo que me enseñó fray Bernardino —dije.

Me observó un momento y soltó una risa:

—Sin duda no comprendiste claramente lo que dijo ese buen hombre, pues conoce bien las verdades de nuestra religión. Además, ¿no ves tú mismo que no hay otro camino? ¿O crees que debemos dejar a esos sacerdotes[31] practicar sus sacrificios? ¿Tienen razón los que matan a los hombres, abriéndoles el pecho cuando están todavía vivos, para sacarles el corazón y ofrecerlo a sus dioses?

No contesté. Pensé en todo ello, recordé aquel fuego en el mar, los brazos pálidos de aquel extraño animal, los brillantes dientes del perro que saltó sobre Ginés. Y sentí, una vez más, miedo de lo que nos esperaba.

LIBRO SEGUNDO

IX

PASARON varios días más hasta que, por fin, siguiendo la dirección dada por don Pedro, volvimos a ver tierra. Casi inmediatamente, descubrimos también un gran río que venía a morir allí. Según el mapa de don Pedro, aquel río debía llevarnos cerca del reino de Yupaha, así que, nuestros barcos empezaron a subir por las oscuras aguas.

Llegamos hasta un enorme poblado[34] donde no se veía rastro alguno de hombres, ni de animales. El capitán decidió saltar a tierra; luego, dio orden de bajar de los barcos rápidamente pues el campamento[35] tenía que estar preparado antes de que oscureciese.

La mayor preocupación de don Pedro era conseguir indios: necesitábamos guías e indios que conociesen lenguas diferentes de las que ya sabíamos Lucía, Ginés y yo. Así pues, al día siguiente mandó a diez soldados hacia el poblado. Unas horas más tarde volvieron algunos, trayendo a varios de los hombres heridos y a dos indios. Al parecer, los indios del poblado habían recibido a los españoles con las armas.

Muy enfadado, don Pedro habló a los dos indios, a través de Ginés. Dijo que tenía la intención de quemar todas sus tierras y casas si el jefe de su poblado no se presentaba delante de él antes de la noche.

Era casi de noche cuando un indio, alto y fuerte, llegó a nuestro campamento. Era el cacique[36]. Don Pedro lo saludó muy amablemente. Después le contó que éramos hijos del sol y que buscábamos en aquellas tierras el gran reino de Yupaha.

También le explicó que veníamos como amigos y, luego, le entregó algunos regalos. Por fin, don Pedro le pidió algunos hombres para ayudarnos en nuestra empresa y maíz y comida para el viaje.

El cacique aceptó los regalos. Luego pidió perdón por lo que había ocurrido con sus hombres: no sabían que las intenciones de los españoles eran buenas. Dijo que era verdad que una gran reina vivía cerca de allí. Por último, se ofreció a darle a don Pedro lo que necesitaba para su viaje.

El cacique quiso entonces volver al poblado para prepararlo todo, pero don Pedro, que todavía no tenía mucha confianza en él, no lo dejó marchar: lo invitó a cenar y a dormir en el campamento para poder vigilarlo.

A última hora de la tarde, paseando por el campamento antes de ir a dormir, vi a Ginés hablando con el jefe indio. Más tarde le pregunté qué le había estado diciendo.

–Nada importante –contestó Ginés–. Sólo quería decirle que no debía tener miedo, que somos amigos.

X

AL día siguiente comenzamos nuestro viaje hacia el reino de la gran Yupaha. El capitán lo había organizado todo perfectamente y no tardamos mucho en salir. Algunos hombres se quedaron en los barcos; tenían órdenes de esperarnos durante seis meses. Pasado ese tiempo, si no habíamos vuelto del viaje, podían volver a sus casas.

Don Pedro, a caballo, iba el primero. A su lado iban los capitanes de los distintos grupos de soldados y, en medio, el cacique.

Lucía, Juan y yo íbamos muy cerca de doña Ana, hablando de unas cosas y otras.

—¿Alguno de vosotros sabe algo sobre sueños? —preguntó de repente la novia de nuestro capitán.

—Yo sé algo, señora —respondió Juan—. En mis viajes he conocido a algunas personas que leían el destino en las cartas y en las manos. Otras sabían explicar los sueños.

Doña Ana sonrió.

—No es que yo crea en esas tonterías, pero desde que comenzamos el viaje y hasta hoy he tenido el mismo sueño. Me gustaría saber qué quiere decir.

—Por favor, señora —dijo Juan—, contadnos el sueño.

Ella suspiró antes de hablar.

—Sueño con un gran lagarto. Su boca está abierta y el agua la llena. Dentro de ella hay pequeños peces moviéndose de un lado a otro. De pronto, me doy cuenta de que yo soy uno de ellos, nadando entre los dientes[37] y la lengua del lagarto. Casi enseguida, la enorme boca desaparece y un sitio vacío y profundo aparece en su lugar. Al reaccionar, veo que estoy tumbada; a mi alrededor todo está oscuro pero, allí arriba, puedo ver la luz del sol.

Todos nos quedamos en silencio. Después de un rato Juan habló.

—Por lo que yo conozco de esa gente, señora, os darían al menos dos respuestas para vuestro sueño, cada una con un sentido contrario.

—¿Y eso? —preguntó riéndose doña Ana.

—Por un lado, os dirían que ese sitio profundo y oscuro, y aquella claridad en lo alto, significan que sois como las plantas que esperan, bajo tierra, la luz del sol para nacer. Así ese sueño sería anuncio de nueva vida.

—Eso está bien —exclamó doña Ana—. ¿Y la otra respuesta?

—Señora, no olvidéis que todo es juego, y vagas palabras solamente.

—No lo olvido. Pero dime lo otro.

—Os dirán que los dientes de aquel terrible lagarto significan que un grave peligro se acerca.

—Eso está peor —comentó la señora.

—Pensad que todo es asunto de dinero: a mayor número de monedas, respuestas más agradables.

—Veo que has aprendido mucho en tus viajes.

—En cualquier caso, no debéis preocuparos.

—Me parece, Juan, que no eres nada de lo que dices ser. Mucho conoces, para haber nacido en una venta.

Entonces Juan se puso colorado: era la primera vez que yo lo veía perder la seguridad. Pero enseguida reaccionó.

—Señora —dijo—. Se aprenden en los caminos, en las plazas y en las ventas cosas que no enseñan los profesores de la universidad.

Entre conversación y conversación, los días se hacían más cortos. Hasta entonces, todo había ido bien pero, al llegar a la orilla de un profundo río, el cacique se negó a seguir. Explicó que sus tierras terminaban allí y que, del otro lado del río, él ya no era jefe.

Don Pedro le pidió entonces que enviase algunos indios para explicar a los caciques de las nuevas tierras nuestras intenciones. El jefe aceptó y envió a varios de sus hombres para que avisaran de nuestra llegada como amigos. Al menos, eso creímos.

Aquella misma noche el cacique se escapó con sus hombres.

Mataron a dos de los nuestros y les cortaron la cabeza. Juan me explicó más tarde por qué lo hicieron.

—Cuando los demás indios vean las cabezas de nuestros compañeros, sabrán que no somos hijos del sol. Se darán cuenta de que somos hombres, como ellos, y de que es fácil matarnos. Así no tendrán miedo de luchar contra nosotros.

Por la mañana se descubrió que Ginés también había desaparecido. Algunos soldados dijeron que seguramente él había ayudado a escapar a los indios. Doña Ana, muy enfadada, defendió con calor al joven diciendo que su confianza en él era muy grande. Yo recordé entonces que Ginés se había hecho muy amigo del cacique. Por ello pensé que Ginés había decidido volver con los suyos. Pero Lucía no pensaba igual.

—Aunque Ginés fue robado de estas tierras cuando era pequeño —me dijo—, hoy sus amigos son los hijos del sol. Nunca les hará daño.

No me gustó aquella palabra: «robado».

XI

Doña Ana y Lucía tenían razón. Ginés apareció a los pocos días. Unos soldados lo habían encontrado. Estaba muy cansado y débil; sus pies y sus manos estaban llenos de sangre y tenía el cuerpo quemado por el sol.

Limpiamos sus heridas con cuidado y le dimos comida. Cuando pudo hablar nos contó su historia: nos dijo que el cacique y sus hombres lo habían obligado a ir con ellos; dijo también que debíamos volver a los barcos, pues un gran peligro nos esperaba. Al parecer, los indios se estaban preparando para luchar contra nosotros y eran más de mil.

En cuanto supo la noticia, don Pedro organizó una reunión con sus capitanes. Más tarde nos explicó su plan.

–Sé que el riesgo es enorme –dijo–, pero ahora, tan cerca del final de nuestro viaje, no podemos volver atrás. La única solución es coger a los indios por sorpresa y empezar la batalla[38] antes de què se organicen. Tenemos que encontrar su campamento lo antes posible.

Nos pusimos en camino enseguida. Íbamos organizados en tres grupos. En cada uno iban tanto jinetes como soldados de a pie y varios arcabuceros. Juan y yo estábamos con mi padrino. A los dos nos dieron una ballesta[39].

Después de caminar durante varias horas por el bosque, descubrimos un gran campamento. Nos acercamos en silencio y esperamos a que llegara la noche. En el campamento, los hombres se preparaban para luchar. Pero había también mujeres y niños. Estábamos tan cerca que podíamos oír sus voces.

Entonces mi padrino dijo en voz baja a sus soldados:

—Los hombres. Ocupaos solamente de los hombres. Los guerreros.

En ese momento, se oyó la orden de don Pedro:

—¡Fuego!

El ruido de los arcabuces hizo temblar todo el bosque. Se oyeron gritos de miedo y de dolor. Los caballos corrieron hacia el campamento. Los indios iban de un lado para otro, como locos, intentando escapar. Muchos lo consiguieron.

Ballesteros y arcabuceros usaron sus armas una y otra vez. Y mientras los jinetes iban y venían, los soldados de a pie seguían andando. Entraron en el campamento, que pronto se llenó de muertos. Y todo quedó en silencio.

Mi padrino mandó quemar lo que quedaba del campamento indio y volvimos al nuestro. Con gran vergüenza, yo me di cuenta, entonces, de que no había usado mi ballesta.

Todos sabíamos que el descanso iba a ser corto. Don Pedro nos dijo algunas palabras:

—Mañana, los indios estarán preparados y no habrá sorpresa. Será duro pero, con la ayuda de Dios, ganaremos.

Hoy les hemos enseñado que es peligroso luchar contra los españoles. Ahora, descansad y tened confianza.

A la mañana siguiente, el fraile Bavón celebró una misa.

Cuando acabó, todos los hombres empezaron a organizarse para salir. Mi padrino me llamó.

–Miguel –me dijo–, siempre te he querido igual que a un hijo y nunca pensé ponerte en un peligro tan grande como el que nos espera. Te pido que me perdones.

Me dio un fuerte abrazo. Luego dijo:

–Si hoy tenemos que morir, moriremos. Pero antes, esos indios sabrán lo que valen nuestros corazones.

Nunca olvidaré sus palabras pues me ofrecieron la confianza y el cariño que tanto necesitaba en aquellos momentos.

Por fin marchamos a encontrarnos con los indios. Nos esperaban fuera del bosque, en suelo llano.

–¡Son muchísimos! –exclamé.

–Sí, y nosotros muy pocos –dijo Juan.

Un soldado que estaba a nuestro lado y nos había escuchado intentó animarnos:

–Entonces ya sabéis lo que tenéis que hacer: luchar sin descanso y matar a todos los que podáis.

No recuerdo exactamente cómo empezó la batalla, pero, sin saber cómo, me encontré en medio de ella. Yo peleaba igual que los demás. Esta vez, con horror, usé mi

No recuerdo exactamente cómo empezó la batalla, pero, sin saber cómo, me encontré en medio de ella. Yo peleaba igual que los demás.

ballesta y varios hombres cayeron, muertos por mi mano. También saqué mi espada, cuando un indio llegó hasta mí; conseguí herirlo y salvarme de la muerte. Juan luchaba a mi lado y, a lo lejos, también podía ver a mi padrino. De pronto, como un sueño, doña Ana apareció en medio de la batalla: iba sobre su caballo blanco y sus armas brillaban bajo la luz del sol.

–¡Por Santiago! –gritaba– ¡Por Santiago!

Aquello nos dio fuerzas. Poco después, los indios, viendo perdida la batalla, empezaron a escapar. En el campo de batalla, rodeados de un horrible silencio, sólo quedaban los muertos, los heridos y nosotros.

De pronto, todos escuchamos un grito de dolor: doña Ana acababa de descubrir a don Pedro, en el suelo, gravemente herido. Al poco tiempo, nuestro valiente capitán moría en brazos de su novia.

XII

Así pues, habíamos ganado la batalla. Pero, ¡a qué precio! Muchos de nuestros compañeros habían muerto y, sin don Pedro, nos sentíamos perdidos. Aunque los indios, ahora, aceptaban ayudarnos, el entusiasmo de los primeros días había desaparecido. Los hombres andaban tristes de un lado para otro, sin saber muy bien qué hacer.

También Ginés estaba muy raro desde que había vuelto con nosotros. Apenas hablaba y siempre estaba solo. Al día siguiente de la batalla, Lucía vino a buscarme; estaba muy preocupada por Ginés.

—Está muy mal —me dijo—. Su corazón está enfermo y llora sin parar. No come, no bebe. Creo que quiere morirse.

Entonces fui a hablar con él.

—¿Qué te ocurre, Ginés? —le pregunté— ¿Por qué estás tan triste?

—Debo morir. No puedo seguir viviendo. Yo soy el culpable de todo. Yo dejé escapar a los indios.

—¿Por qué lo hiciste?

—Porque al verlos volví a recordar a mi gente y a mi familia. Fui a su pueblo y estuve tres días con ellos. Hicieron fiestas para mí y bailaron durante toda la noche.

Pero entonces comprendí que, a pesar de ser indio, yo era diferente: recordaba otras fiestas y otras noches; me di cuenta de que mi vida estaba en España, con el sol de sus veranos y la nieve de sus inviernos. Por eso, cuando supe que preparaban una gran batalla contra vosotros, decidí volver y avisaros. Pero es demasiado tarde. Han muerto muchos hombres; ha muerto don Pedro. Y yo sólo sé, Miguel, que ya no tengo tierra, ni nombre, ni amigos.

—En eso te equivocas, Ginés —le dije con cariño—. Yo soy tu amigo, y también Lucía y Juan. Y no olvides a doña Ana, que tanto te quiere.

Pero él volvió la cara y no habló más.

Aquella misma tarde, doña Ana habló con nosotros. No había llorado por la muerte de don Pedro pero su mirada no podía ocultar su gran dolor.

—Señores —nos dijo—, después de tantas desgracias no podemos volver atrás. Juntos terminaremos la empresa que empezó don Pedro. Y, por su memoria, prometo que lo conseguiremos. Mañana mismo seguiremos nuestro camino.

Entonces dio orden de organizarlo todo para salir, pero uno de los capitanes, don Martín, se negó.

—Señora —dijo—, una mujer no puede ser la capitana de toda una flota.

—Capitán, eso quiere decir que os negáis a obedecer no sólo mis órdenes, sino también las órdenes del Rey —respondió doña Ana.

XIII

PERO antes de salir, Lucía vino a verme y me dijo que Ginés había desaparecido de nuevo. Juan y yo lo buscamos por todo el bosque. Cuando lo encontramos estaba llorando; a su lado había una larga cuerda. Nos miró.

—No puedo hacerlo —dijo.

Juan lo obligó a ponerse de pie, agarrándolo de un brazo con fuerza.

—¿Es que no sabes lo que ha ocurrido? —dijo enfadado—. No puedes morir ahora; doña Ana nos necesita a todos. Además ella siempre te ha ayudado y defendido.

Por fin, Ginés volvió con nosotros. Doña Ana le perdonó.

Muy pronto todos estuvimos preparados, pero, antes de salir, nuestra capitana quiso decirnos unas palabras.

—Hemos perdido a un gran soldado y a un gran hombre, pero con vuestra ayuda podré daros todo lo que él os prometió. Allí, en las tierras del este, encontraremos lo que hemos venido a buscar.

Caminábamos desde hacía dos horas cuando empezó a llover. El frío era mucho mayor. Encontramos grandes árboles que tenían frutas del tamaño de unos pequeños huevos, de sabor muy dulce.

—Señora, no quiero usar la fuerza contra una mujer. Marchaos y dejad que sea un hombre quien mande.

Entonces mi padrino sacó su espada.

—Doña Ana no lleva armas —dijo—. Si queréis usar vuestra fuerza, usadla conmigo.

Los dos pelearon duramente. Al final don Martín murió.

—¡Que Dios me perdone! —exclamó mi padrino.

Doña Ana se acercó y cerró los ojos al capitán muerto; después, en voz alta y delante de todos dio las gracias a mi padrino. Luego mandó que nos preparásemos para salir.

La primera noche fue de mucha lluvia y frío. Habíamos parado en un bosque de pinos muy altos. Un grupo de indios y cristianos había conseguido cazar bastantes animales, y a pesar de la lluvia hubo una alegre cena. Pero al día siguiente seguía lloviendo, y al otro. Además, no volvimos a tener tanta suerte con la caza.

Cuando la lluvia paró, se quedó un tiempo cubierto, con una humedad fría que se hacía sentir poderosamente. Casi otro mes duró aquella humedad y nuestro viaje por aquellas tierras. Yo había perdido mis zapatos hacía mucho tiempo y mis botas, medio rotas, estaban malamente arregladas, como las de todos.

Doña Ana se interesaba por el estado de los heridos, por cómo reaccionaban los indios, por la situación de los caballos; se preocupaba por resolver todos los problemas. Una noche hubo que matar tres caballos, para comer. Doña Ana y los capitanes eligieron los que estaban peor, pero la muerte de los animales –y todo lo que significaba– fue sentida como un duro golpe por los soldados.

Pero pronto aparecieron los primeros poblados. Los indios nos recibían amablemente, pero eran muy pobres. Apenas tenían maíz en aquella época y sólo algunos extraños perrillos que los soldados, ante la necesidad, llegaron a ver como riquísima comida.

A pesar del hambre y del frío, el encuentro de aquellos poblados animó a los hombres. Además, todas las gentes nos decían que cerca de allí, hacia el norte, tal y como pensábamos, vivía una señora muy importante.

Anduvimos en aquella dirección muchos días y por fin llegamos a un gran poblado. Nos recibió un grupo de indios de aspecto tan pobre como los habitantes de los pequeños poblados anteriores. Doña Ana, a través de Ginés, pudo comunicarse con ellos. Después les ofreció algunos regalos. Los indios se marcharon pero al día siguiente volvieron. Al parecer, su señora quería conocernos.

Entramos en el poblado y vimos una altísima pirámide[40] de tierra con una gran escalera de madera. Allí, rodeada de un pequeño grupo de indios, nos esperaba la señora del lugar.

Cuando nos acercamos, me di cuenta de que era una mujer muy mayor, casi una anciana, pero de ojos muy hermosos.

Mi señora se acercó hasta ella y la saludó amablemente, ofreciéndole algunos regalos que ella aceptó. Charlaron durante largo tiempo y al final de la conversación doña Ana le explicó la razón de nuestro viaje.

—He oído que muy cerca de aquí vive, en un palacio de oro, una gran reina, llamada Yupaha. Quisiéramos conocerla.

Al principio la cacica[36] no dijo nada, pero luego empezó a contarnos una historia, hablando lentamente.

—Mi memoria ya no recuerda casi nada, pero nunca olvidaré el día que llegó aquel hombre. También él buscaba una ciudad de oro. Estuvo entre nosotros muchas lunas y aprendió todas nuestras costumbres. Cuando no hablaba del oro, era un hombre muy agradable. Mi madre, que entonces era la reina, le pidió que se casase conmigo y él aceptó. Pero cuando se acercaba la fecha de la boda me dijo que tenía que marcharse. Seguía soñando con aquel oro y no podía vivir tranquilo. Yo misma lo ayudé a escapar. Por desgracia no supe nunca más nada de él. Tampoco había vuelto a escuchar la historia de la ciudad de oro hasta esta misma noche.

La anciana miró a doña Ana muy seria.

—Nuestro dios sueña con muchas cosas para que éstas se hagan realidad: el oro, sí, pero también el agua, el maíz, los hombres y los animales. Aquel hombre sólo soñaba con el oro y por eso no podía ver otras cosas. Vosotros también soñáis con el oro; sabed, sin embargo, que en estas tierras no ha habido nunca una ciudad de oro.

La noticia nos dejó a todos sin palabras. Y no era eso todo: supimos luego que la madre de la cacica había sido la gran reina que habíamos venido a buscar: Yupaha.

XIV

Después de su historia, la hija de Yupaha nos invitó a pasar la noche en el poblado y mandó que nos preparasen unas habitaciones. Pero cuando todo estuvo recogido, uno de los capitanes, don Demetrio Valladolid, quiso hablar con doña Ana.

—La vieja miente —dijo—. Mirad.

En su mano brillaba, a la luz de las velas, un pequeño objeto amarillo.

—¿Dónde habéis encontrado esto? —preguntó mi señora.

—Lo tenía una india. Es oro. La cacica nos engaña.

—No puede ser. El poblado y sus gentes parecen muy pobres —exclamó mi señora.

—Todo es mentira —dijo don Demetrio—. Si me dejáis, yo puedo hacer hablar a esa vieja.

Entonces, caminando hacia la puerta, doña Ana dijo:

—Descansemos don Demetrio. Mañana resolveremos con calma el asunto.

Pero al día siguiente la cacica se quejó de que aquella noche unos soldados habían entrado en las casas buscando oro y de que habían obligado a dos indias a ofrecerles su cuerpo.

–Después de nuestra ayuda, no esperaba esto de vosotros –dijo–. Os daré comida, pero cuando el sol esté alto deberéis marcharos de aquí.

Doña Ana organizó enseguida una reunión con todos los capitanes. Su disgusto por lo ocurrido la noche anterior era muy grande.

–¿Y qué nos importa esa vieja? –dijo don Demetrio–. Además, ya es hora de que volvamos a nuestros barcos. Es un riesgo inútil seguir con esta empresa.

–Es posible que la historia sobre el reino de Yupaha sea falsa en parte –dijo doña Ana–. Pero estoy segura, y don Pedro también lo estaba, de que hay un fondo de verdad. La misma señora de este poblado me ha dicho que, más al sur, podremos encontrar algo que nos hará igualmente ricos: perlas[41]. A veces las usan en su comercio con otros pueblos.

–Entonces habréis de buscarlas sola –dijo don Demetrio–. Nadie os seguirá en esta loca empresa.

Casi todos los capitanes aceptaron su opinión y apenas una hora más tarde se marcharon, camino de los barcos. Muchos de los soldados se unieron a ellos. Quedamos unos treinta hombres.

A la mañana siguiente salimos del poblado en dirección hacia el sur. El sol brillaba de nuevo e íbamos tranquilos. Pero dos días después se unieron a nosotros algunos de los hombres que se habían ido con don Demetrio.

Nos contaron que éste les había mentido: en realidad, no tenía intención de irse. Aquella misma noche había vuelto al poblado para buscar el oro, usando la fuerza. El oro no apareció pero hubo una gran batalla: murieron muchos indios y españoles. Algunos de nuestros compañeros, sin embargo, consiguieron escapar: unos decidieron volver a los barcos y otros unirse de nuevo a doña Ana. Mi señora les perdonó, pero aquellas noticias nos llenaron de preocupación. Empezamos a caminar más deprisa, vigilando los alrededores; estábamos seguros de que los indios, furiosos, iban a reaccionar contra nosotros. A pesar de todos nuestros cuidados, una noche, mientras dormíamos, un grupo de indios cayó sobre nosotros. De nada sirvió luchar y sólo unos diez hombres consiguieron escapar; entre ellos estaban mi padrino y el fraile Bavón.

LIBRO TERCERO

XV

Nos encerraron en una habitación oscura y húmeda y allí, tumbados en el suelo y con las manos atadas, estuvimos durante horas doña Ana, Lucía, Juan y yo.

Las horas pasaban, llegaba la noche y nadie venía a buscarnos; no teníamos agua ni comida. Estábamos cansados y apenas hablábamos.

Al día siguiente nos despertó un ruido; alguien se acercaba. La puerta de la habitación se abrió y vimos entrar a Ginés.

Rápidamente nos quitó las cuerdas de las manos y nos dio agua y comida. Después se sentó al lado de doña Ana y nos explicó que a él lo habían dejado libre.

—Los indios me aceptan entre ellos como uno de los suyos —nos dijo.

—¿Y qué van a hacer con nosotros? —preguntó mi señora.

Ginés dijo que el destino de doña Ana y de Lucía era posiblemente el matrimonio con alguno de los jefes. A Juan y a mí nos querían como esclavos[42], pues éramos jóvenes y fuertes. Los demás hombres, dijo por último Ginés, iban a morir sacrificados aquella misma noche.

–Debemos escapar –dijo por último Ginés–. He preparado una barca con armas y comida. Esta noche vendré a buscaros.

Esperamos toda la tarde, cada vez más nerviosos.

Por fin, alguien entró en la habitación. Era Ginés, pero no venía solo. Dos indios lo acompañaban.

Observaron especialmente a doña Ana; uno de ellos tocó su rubio pelo, comentando algo que no pude entender. También le tocaron la cara a Lucía.

–Debéis ir con ellos y obedecer –dijo Ginés, mirando a doña Ana y a Lucía–, pero no os preocupéis. No dejaré de vigilar el lugar donde os lleven y mañana nos escaparemos.

En cuanto los indios se llevaron a las dos mujeres, Ginés dijo en voz baja:

–La barca está escondida al final del camino que va desde el pueblo hasta el río. Tenéis que escapar esta noche. Intentad llegar a un lugar seguro y esperadnos allí; dejad alguna señal[43] para que podamos encontraros. Ahora debo irme. Buena suerte amigos.

Cuando llegó la noche, Juan y yo estábamos preparados para escapar. Esperamos a que todo estuviera completamente oscuro. De pronto, un profundo silencio cayó sobre el bosque. Al poco tiempo pudimos oír un horrible grito de dolor. Los indios habían empezado a sacrificar a nuestros compañeros.

–Vamos, Miguel –dijo Juan–. Es el momento.

Bajamos siguiendo la dirección que nos había dicho Ginés. Pero la noche era muy oscura y no encontrábamos el río. Estuvimos dando vueltas y más vueltas.

—¡Nos hemos perdido! —exclamé con miedo.

—No —dijo Juan—; ¡mira allí, es el río! ¡Rápido!

Encontramos la barca al final del camino, escondida en la orilla. La empujamos con fuerza hasta el agua y nos subimos en ella. Lentamente, fuimos río abajo mientras el poblado quedaba cada vez más lejos de nosotros.

XVI

La luz de la mañana brillaba débilmente: hermosos pájaros volaban sobre el bosque y grandes lagartos descansaban en las orillas del río.

Debíamos de llevar en la barca cinco o seis horas; los dos nos sentíamos sin fuerzas, así que buscamos un lugar donde ocultar la barca y poder descansar sin peligro. Lo primero que hicimos al bajar a tierra fue preparar, con trozos de maderas secas, una señal para nuestros amigos. De repente descubrí algo en un árbol.

–¡Juan, ven! –exclamé.

Mi compañero se acercó a mirar.

–Es un guante –dijo.

–Debe de ser una señal –dije–. Como la nuestra.

–Sí, pero muy antigua. Seguro que lleva ahí años.

Estuvimos todo el día esperando a Ginés, Lucía y doña Ana, pero no llegaron. Por la tarde empecé a sentirme mal.

Estuvo lloviendo durante la noche y, a la mañana siguiente, me encontraba mucho peor. Tenía fiebre y no paraba de temblar. Juan, muy preocupado, me dijo:

–Espérame aquí y no te muevas. Voy a ver si puedo encontrar algún sitio donde estemos mejor.

Se marchó hacia el bosque y me quedé solo. Intenté dormir pero no pude: me dolía la cabeza y sentía que todo el cuerpo me quemaba.

Juan volvió al poco rato, muy nervioso y contento. Al parecer, había encontrado un cobertizo[44] y otras cosas. Me ayudó a ponerme en pie y caminamos lentamente hacia el lugar que había descubierto.

—¡Mira, Miguel! —exclamó de repente—. Allí, en ese árbol, encontré el otro guante. ¡Vamos!

Después de subir una pequeña montaña vi que un gran agujero se abría entre un montón de maderas viejas.

—Aquí es —dijo Juan—. Verás lo que he encontrado.

Entré en el oscuro cobertizo mientras Juan buscaba algo en uno de los rincones. Por fin se acercó a mí y me lo enseñó: en su mano brillaban muchas piedrecitas blancas.

—Son perlas, Miguel, ¡perlas! —dijo con entusiasmo—. Y también hay oro. Alguien se quedó aquí, guardando todo esto y esperando, quizás, a un amigo. Por eso dejó los guantes. Pero ese amigo no llegó y él...

Juan miró hacia el rincón y yo seguí su mirada. Algo blanco brillaba, medio escondido; eran huesos, los huesos del cuerpo de un hombre, muerto ya hacía mucho tiempo.

Entonces no pude más. Caí al suelo y Juan me ayudó a tumbarme. Me limpió el sudor de la frente pero la fiebre era cada vez más alta. Pensé que iba a morir allí mismo, como aquel hombre.

Juan se acostó a mi lado para darme calor y enseguida se quedó dormido. Yo no podía descansar. Me dolía tanto la cabeza que todos los ruidos me molestaban: el viento entre los árboles, el agua del río, los pájaros. De pronto, sentí que alguien se acercaba y entraba en el cobertizo.

El viajero llevaba en la mano una vela encendida y pude ver su cara. Era mi abuelo. Iba vestido igual que la noche en que nos habíamos despedido. Intenté hablar.

—Abuelo —le dije—. Me puse malo y ahora estoy muerto.

Él no decía nada.

—Dejé los dos guantes entre los árboles para que Juan pudiera encontrarme. Pero no los vio y me quedé solo.

Por fin, el abuelo habló. Estaba tan cerca que podía oír su voz, cantando y rezando dulcemente en la vieja lengua.

Poco a poco dejé de sentir mi cuerpo y me pareció que ya no me encontraba allí, sino que estaba en la barca, en medio del río.

De pronto, el río se dividía[45] en dos y yo no sabía qué camino elegir. La voz del abuelo me decía que llevase la barca hacia la orilla izquierda. Su voz era cada vez más fuerte y profunda. Entonces hice lo que el abuelo me decía y grité.

Cuando abrí los ojos vi que me encontraba otra vez tumbado en el suelo del cobertizo. El abuelo ya no estaba pero yo tenía entre mis dedos el pajarito de oro que me había regalado.

XVII

AL día siguiente todavía me sentía débil pero la fiebre había desaparecido. A mi lado, Juan dormía. Yo lo observé, recordando su ayuda y sus cariñosos cuidados del día anterior.

Sus ropas estaban viejas y en su blusa no había botón alguno. Y entonces, mirando entre la blusa abierta el pecho de Juan, descubrí algo increíble: Juan no era un muchacho, sino una mujer. Miré su cara y de pronto muchas cosas tuvieron explicación: su dulce voz, su piel[46] tan suave y sus pequeñas manos. Sentí una extraña vergüenza y levantándome salí fuera del cobertizo. Necesitaba pensar en todo aquello.

Al rato, mi compañero apareció bajo los árboles y se acercó a mí.

—Me asusté cuando me desperté y no te vi —dijo—. ¿Cómo te sientes hoy?

Estuve a punto de comunicarle que había descubierto su secreto, pero la misma vergüenza que había sentido antes no me dejó hablar.

—Bien, ya me encuentro bien —respondí—, estoy curado y con hambre.

Comimos algo de lo que nos había dejado Ginés y después volvimos al cobertizo. Queríamos ver con calma las joyas que habíamos encontrado. Sin miedo, nos acercamos al cuerpo del hombre muerto y buscamos entre sus ropas. En uno de los bolsillos había un pequeño librito y en el otro un papel con un nombre escrito que apenas se podía ver: Diego de Zumaya.

Estuvimos esperando a nuestros amigos todo el día pero tampoco aparecieron, y en cuanto oscureció, volvimos a entrar en el cobertizo. Otra vez nos tumbamos uno al lado del otro para descansar y estuvimos mucho tiempo sin decir palabra.

—Oye —le dije, al final—. Sé que no eres un muchacho.

Se quedó en silencio durante un rato; después dijo:

—Pensaba decírtelo pero no había encontrado la ocasión todavía.

—¿Entonces, todo lo que me contaste de la venta y de tu padre es mentira? —le pregunté.

—No del todo, Miguel. Es cierto que tuve que escapar —dijo—. Deja que te cuente. Te mentí sobre mi padre; en realidad fue un hombre rico que murió sirviendo al Rey con las armas, en Italia. Pero es verdad que mi madre se volvió a casar y que su marido era una mala persona: pronto empezó a fijarse en mí y a molestarme, siguiéndome por todas partes. Se lo dije a mi madre pero no quiso creerme. Yo no podía vivir así y un día decidí marcharme de aquella casa para siempre. Las aventuras que te conté también son ciertas. Y me vestí de chico porque, en esta vida, todo es menos difícil cuando se es un hombre.

Calló un momento y me miró.

—Te pido perdón por haberte mentido —dijo.

Entonces le di un abrazo y le dije con cariño:

—Entre tú y yo nunca habrá nada que perdonar. Y no temas que descubra tu secreto. Para mí seguirás siendo Juan hasta que tú quieras.

XVIII

Era ya de día cuando nos despertó un extraño ruido. Salimos del cobertizo con cierta preocupación y anduvimos con cuidado, vigilando los alrededores del bosque.

Algo se movía entre los árboles. Nos acercamos y vimos a un animal herido que intentaba escapar hacia el bosque. En ese momento, a caballo, apareció un soldado que al principio no pudimos reconocer. No tardó en descubrir al animal: se acercó a él, bajó del caballo y, usando su cuchillo, terminó de matarlo. El animal cayó y el hombre, después de limpiar el cuchillo en su piel, se volvió hacia nosotros. Era el fraile Bavón.

Sentí tal entusiasmo al verlo que corrí hacia él, llamándolo a voces.

—¿Cómo habéis llegado hasta aquí? —nos preguntó.

—En una barca.

Juan y yo le contamos todas nuestras aventuras desde la noche en que nos llevaron los indios, hasta el momento en que escapamos.

—¿Y mi padrino? —le pregunté.

—Está bien —contestó—. Aquella noche escapamos muy pocos pero estamos todos bien. Están Ulrico, Antonio el

Sevillano, Froilán Muxía y otros compañeros. Tenemos el campamento bastante lejos de aquí, río abajo, y este animal es el primero que consigo cazar en dos días.

Le ofrecimos parte de nuestra comida y, mientras, le contamos la historia de las joyas que habíamos descubierto. Nos escuchaba con gran atención y con los ojos muy abiertos. De pronto se puso en pie.

—¡Enseñádmelas! —dijo.

Le dimos las joyas. Fray Bavón las miraba y las tocaba casi con amor, hablando para sí mismo. Recordé entonces las palabras de mi buen maestro, fray Bernardino: «El oro tiene la culpa de todo. Por él los hombres pierden la razón».

Mientras miraba las perlas y todo lo demás, Juan y yo lo dejamos solo.

—Tal vez no debimos enseñárselas —dije yo.

—De cualquier manera iba a saberlo —contestó Juan—. Además, debemos ir con él para unirnos a tu padrino y a los otros.

—¡Eh, muchachos, venid! —exclamó fray Bavón.

Nos acercamos.

—Colocad el animal en la barca —nos dijo—. Tenemos que irnos de aquí.

Juan y yo le obedecimos, pero cuando todo estuvo preparado, fray Bavón sacó su cuchillo. En sus labios había una extraña sonrisa.

Cuando todo estuvo preparado, fray Bavón sacó su cuchillo. En sus labios había una extraña sonrisa.

—Ahora, ¡marchaos! —dijo—. Desde este momento, yo soy el único dueño de las joyas.

Y sin más, subió a la barca y se fue río abajo, cantando a grandes voces:

Hola que me lleva la ola,
Hola que me lleva la mar.

—Ese hombre se ha vuelto loco —comentó mi compañero con pena.

XIX

DECIDIMOS seguir nuestro camino e intentar encontrar a mi padrino y a los demás. Pero antes de irnos, dejamos otra señal para Ginés; usamos el librito que habíamos encontrado y en él escribimos: *SEGUID. BUSCAD SEÑAL.* Y sin perder más tiempo, nos marchamos en el caballo del fraile, siguiendo el río.

El viaje fue difícil, pues fray Bavón se había llevado toda nuestra comida. Dos días después, sin embargo, sobre la blanca arena de la orilla, encontramos nuestra barca. Parecía estar vacía y los lagartos la rodeaban, curiosos. Tumbado dentro, estaba fray Bavón.

Tenía la cara muy pálida y las manos sobre el pecho.

—¡Está muerto! —exclamé.

Pero no lo estaba. Abrió lentamente los ojos y movió una mano. Me acerqué. Me miró unos segundos, intentando reconocerme.

—Miguel —dijo—, ¿eres tú? ¿No estoy soñando?

—Sí, soy yo.

—Miguel, hijo, me muero. La herida que tengo en la mano es de serpiente[47] y el veneno ya está llegando al corazón.

No supe qué decir. Estaba muy débil y en sus ojos podía ver la sombra de la muerte.

—Miguel, necesito confesión[48]. Necesito tu perdón.

Juan y yo nos miramos. Fray Bavón estaba sin fuerzas pero empezó a gritar.

—¡Confesión, confesión, Miguel!

—Pero fray Bavón —dijo Juan—, aquí no hay ningún cura.

—¡Necesito confesión! —volvió a exclamar—. Quiero que Miguel reciba mi confesión.

Comprendí que debía aceptar. Me agaché sobre la barca para escuchar lo que tenía que decirme. Él movió su mano herida y la colocó sobre una de las mías.

—Miguel, hijo, necesito tu perdón. Tú y tu familia habéis creído siempre que tu padre murió en aquel viaje. Pero no es verdad. Yo hice que se perdiese y no pudiese volver con nosotros. Aquel día llovía mucho y nuestros enemigos eran cada vez más. Tu padre estaba herido en una pierna pero se quedó luchando mientras yo buscaba ayuda. Cuando llegué a la orilla del río, vi que los soldados estaban subiendo al bergantín para salir. Allí estaba también tu padrino. Me preguntó por tu padre y le dije: «Ha muerto». Eso dije. Sí, dije que había muerto y nos marchamos sin él.

Fray Bavón apenas respiraba pero empezó a buscar algo entre sus ropas.

—Ayúdame, Miguel. Tengo una pequeña caja en este bolsillo. Sácala y ábrela.

La cajita estaba casi rota de tanto tocarla. La abrí. Dentro había un precioso cristal verde, tan grande como un huevo.

—Es una esmeralda[49]. Aquella misma tarde la habíamos encontrado tu padre y yo. Al verla, quise que fuese sólo mía. Por eso dejé que tu padre se perdiese en el bosque. Me hice fraile para limpiar mi culpa, pero todo fue inútil. Cuando os veía, a ti o a tu madre, recordaba al amigo que había matado y la culpa volvía. Por eso no podía ser amable contigo ni con tu familia. Ahora la esmeralda es tuya, Miguel, guárdala. Y perdóname.

¿Qué otra cosa podía hacer yo? Me acerqué y, poniendo mi mano sobre la suya, dije:

—*Ego te absolvo a peccatis tuis...*

Estuvo vivo todavía unos minutos. Luego se quedó muerto, con los ojos muy abiertos.

Nada le dije a Juan de aquella confesión. Hicimos un pequeño entierro al fraile y, después, nos preparamos para seguir nuestro camino. Teníamos que encontrar a mi padrino.

Salíamos ya cuando, de repente, otra barca apareció en el río. Dentro de ella iban tres personas; parecían indios. Pero, cuando estuvieron más cerca, pudimos reconocer a Ginés, Lucía y a doña Ana.

Los ayudamos a bajar de la barca y por un momento todos olvidamos nuestros malos recuerdos, saludándonos con cariñosos abrazos.

Aquel día, comimos con el entusiasmo de los buenos amigos que vuelven a encontrarse después de mucho tiempo.

Ginés nos contó cómo habían conseguido escapar, vestidos de indios, y después de robar otra barca, además de armas y comida. Habían visto nuestra señal y habían seguido río abajo sin ningún problema.

También nosotros les contamos nuestra aventura. Pero yo, igual que había hecho con mi compañero, no dije nada de la confesión del fraile Bavón.

XX

Discutimos lo que debíamos hacer, pues nos parecía que era mejor no dejar el caballo. Y así, Juan, Lucía, mi señora y yo cogimos las barcas; Ginés iba en el caballo del fraile, siguiendo el río e intentando no perdernos de vista.

Viajamos durante horas sin problemas, pero a media tarde me ocurrió algo muy extraño. En mitad de las aguas apareció una lengua de arena que dividía el río en dos amplios brazos. Creí reconocer aquel lugar y, sin embargo, no lo había visto nunca. Entonces, recordé el sueño que había tenido mientras estaba enfermo; sin pensarlo dos veces conduje la barca por el brazo izquierdo del río. Aunque muy sorprendidos, mis compañeros me siguieron con la otra barca, pero perdimos de vista a Ginés.

Seguimos aquella dirección durante una hora más o menos. De pronto, oímos ruidos de armas: alguien luchaba cerca de allí. Ginés volvió a aparecer en la orilla, haciéndonos señales para que nos acercáramos.

–¡Las armas! –dijo gritando– ¡Traed las armas!

Buscamos un lugar seguro en la orilla y saltamos a tierra rápidamente. Ocultándonos entre los árboles conseguimos llegar hasta un poblado, sin que nadie nos viera.

El pueblo era parecido a los que habíamos visto durante nuestro viaje y también tenía, en el centro, una pirámide muy alta. Allí habían subido, para defenderse, varios hombres blancos. Abajo, un grupo de indios los esperaba con las armas preparadas.

Entramos en el pueblo y cogimos a los indios por sorpresa; herimos a varios y los otros, asustados, escaparon.

Oí entonces la voz de mi padrino. Miré hacía arriba y vi que era uno de los hombres que estaba en lo alto de la pirámide.

—¡Ginés! —preguntó— ¿Quién está contigo?

—Miguel, doña Ana y los dos muchachos.

—¡Gracias a Dios! —exclamó mi padrino.

Bajaron despacio por las estrechas y peligrosas escaleras. Quedaban sólo cuatro hombres.

Al fin llegaron hasta nosotros. Mi padrino me dio un fuerte abrazo pero la emoción no lo dejó hablar.

Al rato vimos que un grupo de indios se acercaba. Uno de ellos levantó un brazo en señal de paz y se quedó parado en mitad del camino, esperando.

—Es el cacique —dijo mi padrino—. Parece que quiere hablar. Ginés, ven conmigo y veamos qué quiere.

Mi padrino se acercó al cacique y, durante unos minutos, los dos se miraron cara a cara. De pronto, el indio gritó algo y abrió los brazos. Pasada la sorpresa, mi padrino también gritó y los dos hombres se unieron en un gran abrazo.

XXI

Sentados en el suelo, mi padrino y el cacique tuvieron una larga conversación. Lejos de ellos, nosotros los mirábamos sorprendidos. Al rato, Ginés vino hacia mí.

—Miguel, tu padrino quiere que vayas —me dijo.

Me acerqué y ellos se levantaron. Mi padrino parecía muy serio.

—Miguel, Dios ha querido que hoy ocurra algo maravilloso —me dijo—. Hoy he vuelto a encontrar a mi mejor amigo. Y tú, a tu padre.

Al principio, no comprendía lo que mi padrino quería decir.

—¿No me oyes, Miguel? Éste es tu padre.

Me acerqué un poco más. Aunque vestía ropas indias y su piel era oscura, el jefe del poblado no era indio: sus ojos eran demasiado claros. Nos miramos y él me sonrió.

—Tan sólo tenías tres años cuando me marché —dijo.

Hablaba el español de una manera muy rara; parecía que le costaba recordar nuestra lengua.

—Miguel —dijo—. Hijo mío.

Se quedó un rato en silencio y luego preguntó:

—¿Cómo están tu madre y tus hermanos?

—Bien. Cuando me vine a descubrir nuevas tierras estaban todos bien.

—¡Tengo tantas cosas que explicarte! —exclamó—. Siéntate a mi lado y escucha, Miguel. Hoy, cuando os encontré, pensé que soñaba, pues he tenido que vivir en otro tiempo sin ocasiones para la memoria ni para los recuerdos. Ahora sé que esta vida del hombre que soy comenzó hace once años de los vuestros, cuando vivíamos el final de una inútil empresa.

Bebió un poco de un líquido oscuro que le habían traído y en su extrañísimo castellano, me contó una larga historia.

—Me habían herido en esta pierna y no podía andar. Mi compañero fue a buscar ayuda pero nunca volvió y los enemigos me cogieron. Me ataron de pies y manos sobre cuatro barras de madera y bajo mi cuerpo encendieron un gran fuego. Luego supe que una niña, hija del cacique, pidió que me dejasen vivir. Así fue como me salvé. Pero tuve que pagar un precio muy alto por mi vida. Fui esclavo de los indios durante años y sufrí lo imposible: pensaba en tu madre, en ti, en mis amigos. Estaba solo. Poco a poco, sin embargo, gané la confianza de los indios. Aprendí sus costumbres y yo les enseñé muchas cosas. Después de seis años me aceptaron entre los suyos: la niña que me había salvado la vida era ya una mujer; su padre no vio mal que nos uniéramos en matrimonio. Con el tiempo, mi antigua

vida murió dentro de mí, pero nació otra. Cuando el cacique murió, yo fui elegido cacique. Tuve hijos, hermosos y
con salud. Y sé, Miguel, que ya no soy aquel hombre que tu
padrino recuerda.

—¡Pero eres mi padre! —exclamé.

—Tú ya no eres un niño, hijo mío. Y nada es como
entonces.

Comprendí de pronto que yo no sabía nada de aquel
hombre. Desde siempre había sido mi «padre perdido»,
pero, en realidad, yo nunca lo había conocido.

—Tenéis razón —dije por fin—. Yo ya no soy un niño. Y
mi padre desapareció cuando yo era pequeño, hace ya
muchos años.

Sentía el corazón lleno de pena pero intenté ocultar mi
dolor. Mis palabras lo habían herido y estuvo a punto de
decir algo, pero no habló. Me levanté de su lado y me despedí de él.

—Buenas noches, señor —le dije.

Y me marché.

XXII

Nos quedamos en el poblado varios días pero no volví a hablar con el cacique hasta la mañana que nos marchamos. Estábamos a punto de hacerlo cuando él me llamó. Me habló con un español mucho más claro y seguro que el primer día.

—Miguel, tu padrino se ha enfadado cuando le he dicho que no iba a volver con vosotros, que soy más necesario en este lugar. Pero no es sólo eso. La verdad es que yo he tenido que olvidaros, Miguel, y ahora mismo, no sé si sois sólo un sueño. Quizás con el tiempo llegue a creer que no sois sólo un sueño y que estáis vivos; entonces dejaré que mi corazón me hable y volveré a vuestro lado para siempre.

Yo no supe qué responder, pero él me miró a los ojos y me cogió las manos con fuerza.

—Ocúpate de tu madre y de tus hermanos, hijo mío.

—Lo haré —dije.

Después caminé hacia la orilla, sintiendo una gran pena. Todos me esperaban.

—¡Vámonos! —exclamó mi padrino.

El viaje por el río fue lento pero fácil. Hablábamos poco. Mi padrino, sobre todo, iba muy callado. Estaba muy raro conmigo y pensé que sentía vergüenza por lo que había pasado con mi padre.

Pero una tarde los dos nos encontramos cuando buscábamos un lugar para nuestro aseo.

—Miguel —me dijo—, no se lo cuentes nunca a tu madre. Le romperías el corazón. Por desgracia tu padre ya no es el mismo, pero no debes olvidar que fue un hombre maravilloso y mi mejor amigo.

Aquellas palabras rompieron la pared de silencio que se había levantado entre nosotros. Le conté con detalle la historia de las perlas y el oro que Juan y yo habíamos encontrado. Mi padrino no se cansaba de escucharme. Todo se lo conté, excepto la confesión de fray Bavón, pues me había prometido a mí mismo no decírselo nunca a nadie.

Por fin, después de varios días, llegamos al gran río donde habíamos dejado los barcos. Era ya tarde y el sol se estaba ocultando. Algo raro llamó nuestra atención: de los dos barcos que debían estar esperándonos, sólo quedaba uno, el bergantín. Además, parecía estar vacío. Nos acercamos lentamente. Estábamos ya a muy poca distancia cuando de pronto un hombre salió corriendo del barco hacia nosotros. Movía los brazos y gritaba; no llevaba ropa y su pelo y la barba le tapaban pecho y espalda.

—¡Es Benjamín! —exclamé con sorpresa, al reconocer a uno de nuestros compañeros.

Benjamín nos dijo que, de los hombres que habían quedado vigilando los barcos, él era el único con vida. Había estado tanto tiempo solo que casi había perdido la razón.

XXIII

Benjamín nos dijo que, de los hombres que habían quedado vigilando los barcos, él era el único con vida. Había estado tanto tiempo solo que casi había perdido la razón. Le dimos comida y, al rato, ya más tranquilo, nos contó lo que había ocurrido.

Al parecer, un día, después de muchos meses de esperarnos, habían aparecido corriendo algunos de nuestros compañeros. Los seguían miles de indios furiosos.

—Debían de ser los hombres que escaparon del pueblo de la hija de Yupaha —dijo mi padrino.

Benjamín siguió con su historia:

—Los ayudamos a subir a los barcos y nos defendimos de los indios con todas nuestras fuerzas. Pero eran muchos y nosotros estábamos cada vez más débiles pues no teníamos comida. Una noche, los indios consiguieron subir a los barcos y mataron a todos los hombres. Los otros dos barcos se quemaron durante la batalla. Yo caí al agua y por eso me salvé.

Esta triste historia fue lo único claro que salió de los labios de Benjamín; poco después empezó a hablar solo y a decir cosas que no podíamos entender. Aquella misma noche, sin que nadie se diese cuenta, se marchó en una de las barcas. Nunca lo volvimos a ver.

A partir de ese momento nuestro único trabajo fue arreglar el bergantín para salir de allí. Teníamos tantas ganas de volver a casa que en pocas semanas estuvo preparado para hacerse a la mar.

Aunque no teníamos mapas, Froilán Muxía estaba seguro de poder encontrar el camino de vuelta. Así pues, siguiendo sus órdenes, salimos del gran río y llegamos al mar. Intentábamos ir a lo largo de la costa para no perdernos.

El tiempo era agradable pero el viento muy ligero y el viaje se hizo bastante largo. Por fin, después de muchos días, la costa empezó a sernos más familiar. Era imposible equivocarse: habíamos llegado a la Nueva España, nuestra tierra.

No tardamos mucho en encontrar el puerto del que habíamos salido. Un hombre, al ver el barco, salió de su casa y nos saludó; bajamos a tierra e inmediatamente todos empezamos a darnos fuertes abrazos y a gritar. Por fin estábamos en tierra segura.

El alcalde de la ciudad nos ofreció su casa para que pasásemos la noche más cómodamente y organizó una gran cena.

Vinieron muchos españoles a escuchar nuestras aventuras. Había entre ellos un hombre que no dejaba de mirar a Juan. De repente se levantó y cruzó la sala en su dirección. Cuando Juan lo vio quiso escapar pero el hombre gritó:

—¡Espera, Juana! ¡No te vayas!

De esta manera todos supieron que en realidad Juan no era un muchacho sino una mujer. Aquel hombre era hermano de su madre y había reconocido enseguida la cara de su sobrina.

Doña Ana celebró con risas la sorpresa. Después, hablando con el hombre, le dijo que aquel falso muchacho había sido tan valiente como un hombre y que tenía la intención de defender a Juana de toda persona que quisiera hacerle daño; y lo mismo dijimos Ginés, Lucía y yo.

Al oír nuestras palabras, el tío de Juana sonrió:

—Veo que Juana ha encontrado buenos amigos.

Y volviéndose hacia su sobrina, dijo:

—No temas nada, Juana. El marido de tu madre ha muerto y todos queremos que vuelvas a casa.

XXIV

SIEMPRE recordaré la última ocasión en que estuvimos todos juntos. Fue en una gran cena, en casa del alcalde.

Nos quedamos en aquel pueblo los días necesarios para que cada uno pudiese preparar su viaje de vuelta. Todos teníamos ya nuestra parte de las perlas y del oro que habíamos traído y pudimos comprar ropas y zapatos nuevos.

En aquellos días el tío de Juana nos dijo que en León de Nicaragua estaban organizando otro viaje para descubrir nuevas tierras más al sur. Doña Ana estaba decidida a usar su dinero en aquella empresa y de la misma opinión fueron Ginés y Froilán Muxía. Los tres se habían hecho grandes amigos.

Juana aceptó volver a España con su tío. Yo escuché, por casualidad, una conversación en la que mi señora le ofrecía su ayuda si decidía seguir con su vida viajera. Pero Juana, dándole las gracias, le contestó:

—Ahora que ese hombre ha muerto, puedo volver a casa. Allí me necesitan.

Por entonces supe que Lucía tenía intención de entrar en un convento[50] y decidí hablar con ella.

—Lucía —le dije—. Sé que quieres entrar en un convento.

—Sí —respondió.

—¿Pero estás segura de lo que vas a hacer? —le pregunté— ¿Por qué no te vienes conmigo a mi casa? Yo creo que entre nosotros te sentirás muy bien.

Estuvo en silencio unos minutos.

—Bueno —dijo al fin. Y sonrió.

Viví aquella cena con un hondo sentimiento, pues sabía que no iba a ver a doña Ana, ni a Juana, ni a Ginés en mucho tiempo.

El alcalde nos preparó una gran cena, acompañada de vinos variados y toda clase de dulces. Después Juana empezó a tocar en una vieja guitarra antiguas canciones que todos conocíamos.

Es tan agradable aquel recuerdo que a veces siento que sigo allí todavía, con ellos, unidos todos por la suerte de seguir vivos a pesar de tantos peligros y desgracias.

Ya muy tarde, me despedí de ellos. Doña Ana me regaló un anillo con una piedra roja que no me quitaré en la vida.

A Juana le dije que me escribiese cartas para que no dejásemos de saber el uno del otro. La gente ya se había marchado y estábamos solos.

De repente, ella me rodeó con sus brazos y me miró a los ojos.

—Tal vez nos veamos pronto, muy pronto —dijo.

Y me besó en los labios.

Mi padrino, Lucía y yo salimos a caballo aquella misma mañana, mientras todos dormían. Durante el viaje no tuvimos grandes problemas y llegamos bastante rápido, una tarde. El pueblo estaba igual que siempre. Delante de la casa se encontraban todos los míos. Mi madre lloraba de emoción. Aquella noche no durmió nadie en el pueblo pues todos querían conocer las aventuras que habíamos vivido.

Por la mañana acompañé a mi abuelo a su casa y le dije que quería hablar con él un momento.

—Soñé una vez contigo, abuelo.

—Yo también soñé contigo —contestó—. Soñé que estabas muy enfermo.

—Era verdad —dije.

Entonces mi abuelo cogió varias flores de un cesto y las dejó caer sobre el altar; y yo hice lo mismo.

Con mi madre hablé después de comer. Estaba decidido a decirle que había encontrado a mi padre, pero no pude hacerlo. Entonces saqué la esmeralda de mi bolsillo y se la di.

—Es muy hermosa —dijo.

—Es para ti.

Me costó un poco volver a llevar la vida normal del pueblo. A veces, al despertar, tardaba en comprender que mi aventura había acabado y que ya no estaba en los bosques sino en casa.

Un día fray Bernardino me propuso escribir todo lo ocurrido. Tanto me animó a ello que llevo escribiendo todas las tardes desde el mes de abril. Pero cuando acabe de escribir mi historia, la guardaré en un lugar secreto: hay cosas que no quiero que nadie sepa. Sí, la esconderé. Y tal vez, con el tiempo, me olvide de ella. Algún día, alguien la encontrará y pensará, al leerla, que lo imaginé todo.

SOBRE LA LECTURA

Para comprobar la comprensión

LIBRO PRIMERO

I

1. Cuando empieza la historia, Miguel está llevando una vida tranquila al lado de su madre. ¿Dónde está su padre? ¿Qué es lo último que se ha sabido de él?
2. ¿Qué han venido a pedir don Santiago y el fraile Bavón a la madre de Miguel? ¿Le gusta a ella la idea? ¿Por qué?

II

3. ¿Cómo se siente Miguel al día siguiente de la visita de su padrino?
4. ¿Qué opinión tiene fray Bernardino del oro y de las aventuras?

III

5. ¿De qué se sorprende y se asusta Miguel cuando ve a su abuelo?
6. El abuelo le dice a Miguel una cosa muy importante para él. ¿Cuál?

IV

7. *En la playa Miguel conoce a Juan. ¿Qué ha hecho éste? ¿Por qué?*
8. *¿Por qué se sorprende Juan al oír el apellido de Miguel?*

V

9. *Juan tuvo que escapar de su casa. ¿Por qué?*
10. *¿Qué decide don Santiago después de conocer a Juan?*

VI

11. *¿Quién acompaña a don Pedro, el capitán? ¿Cómo es?*
12. *¿Cuál será el oficio de Miguel durante el viaje?*

VII

13. *¿Qué quiere encontrar don Pedro? ¿Por qué?*
14. *¿Quiénes son Lucía y Ginés? ¿Cuál es su trabajo durante la expedición?*

VIII

15. *Durante el viaje, varios hechos hacen pensar a Miguel que los esperan muchos peligros y desgracias. ¿Qué hechos son ésos?*
16. *¿Por qué se echa el perro encima de Ginés? ¿Qué empieza a pensar Miguel después de esto?*

LIBRO SEGUNDO

IX

17. *¿Cómo reciben los indios a los españoles cuando éstos llegan a su poblado?*

18. *Don Pedro consigue la ayuda del cacique, pero ¿tiene total confianza en él? ¿En qué puede verse esto?*

X

19. *Doña Ana sueña con un extraño lagarto. Según Juan este sueño anuncia acontecimientos ¿felices o no?*

20. *Los indios han escapado del campamento. ¿Quién más ha desaparecido? ¿Qué piensan de él los soldados, doña Ana y Lucía?*

XI

21. *¿De qué avisa Ginés a sus amigos cuando vuelve con ellos?*

22. *Los españoles ganan la primera y la segunda batalla, pero ¿qué ocurre en esta última?*

XII

23. *¿Cuál es el drama de Ginés?*

24. *Don Santiago mata a don Martín. ¿Por qué?*

XIII

25. *La anciana cuenta la historia de un hombre. ¿Qué buscaba y qué le ocurría?*
26. *Después de escuchar a la anciana, que es la hija de Yupaha, los españoles tienen que aceptar una cosa. ¿Cuál?*

XIV

27. *Doña Ana propone entonces seguir el viaje hacia el sur. ¿Por qué?*
28. *¿Qué hacen don Demetrio y sus hombres? Por su culpa, ¿qué les ocurre a doña Ana y a sus amigos?*

LIBRO TERCERO

XV

29. *¿Por qué es Ginés el único que ha quedado libre? ¿Qué destino espera a sus amigos si no se escapan?*
30. *¿Cuál es el plan de Ginés?*

XVI

31. *¿Qué encuentran Miguel y Juan en el cobertizo?*
32. *¿Qué le ocurre a Miguel mientras está enfermo?*

XVII

33. *Miguel descubre el secreto de Juan. ¿Cuál es?*

XVIII

34. *¿Cómo reacciona el fraile Bavón al ver las perlas?*

XIX

35. *Miguel y Juan encuentran a fray Bavón medio muerto. Éste hace una confesión a Miguel. ¿Cuál? ¿Qué le da?*
36. *¿Quiénes viajan en la barca que aparece en el río?*

XX

37. *¿Qué recuerda Miguel cuando va en la barca?*
38. *¿Qué está ocurriendo en el poblado al que llegan? ¿A quién ve Miguel entre los españoles?*

XXI

39. *¿Quién es, en realidad, el cacique?*
40. *¿Qué comprenden Miguel y su padre?*

XXII

41. *Miguel y sus amigos llegan al lugar donde habían dejado los barcos. ¿Qué encuentran?*

XXIII

42. *¿Qué cuenta Benjamín? ¿Qué pasó con los hombres que se habían quedado esperando?*

43. *¿Consiguen Miguel y sus amigos volver a la Nueva España?*

44. *¿Se mantiene secreta la verdadera identidad de Juan?*

XXIV

45. *¿Qué hará Miguel cuando termine de escribir su historia? ¿Qué dos razones importantes hay para ello?*

Para hablar en clase

1. *¿Puede explicar el título de la novela,* El oro de los sueños*?*

2. *¿Está usted de acuerdo con el fraile Bavón cuando dice que «todo es bueno para conseguir la paz»?*

3. *Miguel, y sobre todo Ginés, sufren al estar divididos entre dos culturas y al tener que elegir una de ellas. ¿Qué opina de este problema? ¿Conoce otras personas o grupos sociales que vivan esta situación? ¿Puede llegar a ser un drama?*

4. *¿Cuál es su opinión sobre la conquista española en América y, en general, el hecho de conquistar unas tierras?*

NOTAS

Estas notas proponen equivalencias o explicaciones que no preten-
den agotar el significado de las palabras y expresiones siguientes
sino aclararlas en el contexto de *El oro de los sueños*.

m.: masculino, *f.:* femenino, *inf.:* infinitivo.

1 **pues**: aquí, puesto que (causa).

2 **padrino** *m.:* aquí, hombre que en el **bau-
tismo** (ceremonia que en la religión cristia-
na incorpora una persona a la Iglesia) pre-
senta, acompaña y protege a quien lo
recibe. El **padrino** de un niño ocupa el
lugar de sus padres si éstos mueren.

fraile

3 **fraile** *m.:* hombre que pertenece a alguna
Orden religiosa; **fray** (*m.*) es otra forma de
fraile. Se emplea delante del nombre de
los religiosos de ciertas órdenes religiosas.

4 **guerras** *f.:* luchas con armas entre dos o
más países, o entre grupos de un mismo
país.

5 **conquista** *f.:* hecho de **conquistar**, que es
hacerse dueño, en la guerra y usando la fuerza, de un país y sus gentes. A los hombres
que fueron a descubrir y **conquistar** nuevas
tierras se los llamó **descubridores** (*m.*) o
conquistadores (*m.*).

Hernando Cortés

6 **Hernando Cortés:** español (1485-1547)
que hacia 1521 y después de ganar la guerra contra el pueblo azteca, conquistó
México.

espada

7 **empresa** *f.:* aventura, acción generalmente difícil o peligrosa que una o varias personas se proponen e intentan realizar.

8 **Dios os guarde: Dios la guarde** (recordar la nota de la página 4).

9 **espada** *f.:* arma blanca de hoja larga y recta que corta por los dos lados.

10 **exclamó** (*inf.:* **exclamar**): gritó; más generalmente (ver más adelante), dijo con emoción, sorpresa, miedo, etc.

11 **paz** *f.:* situación en la que no hay **guerra** (ver nota 4).

12 **rezaré** (*inf.:* **rezar**): me dirigiré a Dios, oral o mentalmente, para pedir o dar las gracias por algo.

rezar

13 **don Amadís:** personaje principal de *Amadís de Gaula*, famosa novela de caballerías, editada en 1508 en Zaragoza, pero conocida ya en el siglo XIV. Sus fantásticas aventuras se suceden unas a otras, situadas en lugares maravillosos ingleses, escoceses e irlandeses. En ellas aparece como el mejor ejemplo de «caballero andante», que viaja por el mundo defendiendo a los más débiles de toda injusticia, y todo por amor a su dama: la mujer amada es quien llena sus pensamientos y da sentido a la fama conquistada con tanto valor. Y Cervantes así lo reconoció. La aventura del «Arco de los Leales Amadores» es uno de los episodios más representativos del libro.

velas

14 **velas** *f.:* objetos formados por un material graso que envuelve una pequeña cuerda a la cual se prende fuego para dar luz.

15 **altar** *m.:* pequeño monumento religioso, por lo general una mesa, donde se ofrecen sacrificios a un dios.

16 **estaba rindiendo culto** (*inf.:* **rendir culto**): estaba rezando o realizando alguna práctica religiosa.

17 **ídolo** *m.:* en religiones anteriores al cristianismo, representación de un dios al que **se rinde culto** (ver nota anterior).

18 **Inquisición** *f.:* antiguo tribunal de la Iglesia católica medieval que investigaba y castigaba todas las faltas cometidas contra la religión católica. Las penas que imponía podían ser muy duras y creó durante largo tiempo un clima de verdadero terror.

19 **maíz** *m.:* cereal de uno a tres metros de altura y de largas hojas verdes. Su fruto son unos gordos granos amarillos que forman una especie de cilindro. Es el cereal más corriente de América Central y del Sur y el elemento básico de muchos de los alimentos de allí.

maíz

20 **capitana** *f.:* barco en el que viaja el jefe de un grupo de barcos. Por **capitán** (*m.*) se designa al hombre que manda en un barco y, también, al jefe de un grupo importante de soldados.

21 **carabelas** *f.:* antiguos barcos de vela, largos y estrechos. Por ser ligeras y fáciles de dirigir, jugaron un importante papel en los grandes descubrimientos por mar.

22 **bergantín** *m.:* antiguo barco de vela, parecido a la **galera** (ver nota 25), aunque de menor tamaño; más pequeño, también, que la **carabela** (ver nota anterior).

carabela

23 **venta** *f.:* lugar donde antiguamente se podía comer y dormir. Las ventas estaban situadas en medio del campo, cerca de los caminos por donde pasaban los viajeros.

24 **Camino de Santiago**: desde el siglo IX, camino que siguen a pie aquellas personas que van a Compostela (Galicia), donde está la tumba del apóstol **Santiago.** La ciudad de Santiago de Compostela es, con Roma y Jerusalén, uno de los centros de peregrinación más importantes del mundo.

bergantín

25 **enviar a galeras** *f.:* las **galeras** eran antiguos barcos de guerra, largos y bajos, que se movían con **remos** (palos de madera, con una extremidad plana, que se manejan con la mano para hacer fuerza dentro del agua). Se utilizaron hasta el siglo XVIII. Como era un trabajo muy duro, los que manejaban los remos no eran soldados sino hombres castigados por la ley que eran envíados allí en vez de a la cárcel. De ahí viene la expresión, hecha e invariable, de **enviar a galeras**.

26 **romance** *m.:* composición poética, de origen popular, nacida en España durante la Edad Media, en que riman por asonancia los versos pares y son libres los impares. Al principio fueron creados para ser cantados o recitados con el acompañamiento de algún instrumento de música; hasta que, más tarde, fueron recogidos por escrito. Tuvieron tanto éxito que, a partir de la segunda mitad del siglo XVI, poetas cultos crearon nuevos romances. Los temas tratados fueron muy variados, siendo históricos en un primer momento, y más sentimentales después.

27 **jinetes** *m.:* soldados a caballo.

28 **arcabuceros** *m.:* soldados que iban armados de **arcabuz** (*m.*), arma de fuego antigua.

29 **paje de armas** *m.:* muchacho que, antiguamente, acompañaba a su amo llevándole las armas y cuidando de ellas.

30 **reino** *m.:* país o tierras donde manda un rey o reina.

31 **sacerdotisa** *f.:* en religiones anteriores al cristianismo, mujer que realiza o dirige ciertos servicios. **Sacerdote** (*m.*) es el hombre que tiene esta misma función en cualquier religión.

32 **templo** *m.:* edificio destinado al **culto** religioso (ver nota 16).

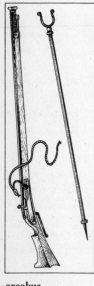

arcabuz

lagarto (caimán)

33 **lagarto** *m.:* nombre que en México y en otros países de América se da al **caimán** (*m.*), reptil de la especie de los cocodrilos, de varios metros de largo, cuerpo duro y de color verde; tiene una larga cola y una boca grande con numerosos y fuertes **dientes** (ver nota 37).

34 **poblado** *m.:* grupo de casas y de pocos habitantes.

ballesta

35 **campamento** *m.:* durante una guerra, lugar que los soldados preparan rápidamente al aire libre para vivir mientras no están luchando.

36 **cacique** *m.:* jefe de una tribu de indios. Femenino: **cacica.**

37 **dientes** *m.:* pequeños huesos de color blanco que los hombres y la mayoría de los animales tienen en la boca, que sirven para cortar la comida en pedacitos.

38 **batalla** *f.:* cada momento de una **guerra** en que se encuentran y luchan los dos grupos enemigos.

pirámide

39 **ballesta** *f.:* arma antigua, parecida a un arco, aunque más complicada. El **ballestero** (*m.*) era el soldado que la usaba.

40 **pirámide** *f.:* gran edificio de piedra con base cuadrangular y cuatro caras triangulares, que servía de base a un templo en el México precolombino.

perla

41 **perlas** *f.:* pequeños objetos, en general redondos, de color blanco y brillantes, que se forman en el interior de ciertos animales de mar. Se usan normalmente para hacer joyas, collares, en particular.

42 **esclavos** *m.:* personas que no son libres y que están bajo el poder de otra (el amo) que puede decidir sobre sus vidas.

43 **señal** *f.:* cualquier cosa que sirve para dar cierta información.

44 **cobertizo** *m.:* lugar con techo, con o sin paredes, que sirve para dar sombra o para proteger de la lluvia.

45 **se dividía** (*inf.:* **dividirse**): se partía, se separaba.

46 **piel** *f.:* lo que envuelve y protege el cuerpo del hombre y de los animales.

serpiente

47 **serpiente** *f.:* reptil de cuerpo estrecho y alargado, sin patas, que, en algunas especies, puede alcanzar varios metros; puede ser venenoso.

48 **confesión** *f.:* aquí, hecho de decir una persona a otra, para que ésta la perdone en nombre de Dios, todas las cosas malas que ha hecho o pensado en su vida.

49 **esmeralda** *f.:* piedra preciosa de hermoso color verde.

50 **convento** *m.:* casa donde viven en comunidad los hombres o mujeres de una Orden religiosa.